걸프 사태

대책 및 조치 2

• **외교문서 비밀해제** – 걸프 사태 7 •

걸프 사태

대책 및 조치 2

한국학술정보

| 머리말

걸프 전쟁은 미국의 주도하에 34개국 연합군 병력이 수행한 전쟁으로, 1990년 8월 이라크의 쿠웨이트 침공 및 합병에 반대하며 발발했다. 미국은 초기부터 파병 외교에 나섰고, 1990년 9월 서울 등에 고위 관리를 파견하며 한국의 동참을 요청했다. 88올림픽 이후 동구권 국교 수립과 유엔 가입 추진 등 적극적인 외교 활동을 펼치는 당시 한국에 있어 이는 미국과 국제 사회의 지지를 얻기 위해서라도 피할 수 없는 일이었다. 결국 정부는 91년 1월부터 약 3개월에 걸쳐 국군의료지원단과 공군수송단을 사우디아라비아 및 아랍 에미리트 연합 등에 파병하였고, 군 · 민간 의료 활동, 병력 수송 임무를 수행했다. 동시에 당시 걸프 지역 8개국에 살던 5천여 명의 교민에게 방독면 등 물자를 제공하고, 특별기 파견 등으로 비상시 대피할 수 있도록 지원했다. 비록 전쟁 부담금과 유가 상승 등 어려움도 있었지만, 걸프전 파병과 군사 외교를 통해 한국은 유엔 가입에 박차를 가할 수 있었고 미국 등 선진 우방국, 아랍권 국가 등과 밀접한 외교 관계를 유지하며 여러 국익을 창출할 수 있었다.

본 총서는 외교부에서 작성하여 30여 년간 유지한 걸프 사태 관련 자료를 담고 있다. 미국을 비롯한 여러 국가와의 군사 외교 과정, 일일 보고 자료와 기타 정부의 대응 및 조치, 재외동포 철수와 보호, 의료지원단과 수송단 파견 및 지원 과정, 유엔을 포함해 세계 각국에서 수집한 관련 동향 자료, 주변국 지원과 전후복구사업 참여 등 총 48권으로 구성되었다. 전체 분량은 약 2만 4천여 쪽에 이른다.

2024년 3월

한국학술정보(주)

| 일러두기

· 본 총서에 실린 자료는 2022년 4월과 2023년 4월에 각각 공개한 외교문서 4,827권, 76만 여 쪽 가운데 일부를 발췌한 것이다.

· 각 권의 제목과 순서는 공개된 원본을 최대한 반영하였으나, 주제에 따라 일부는 적절히 변경하였다.

· 원본 자료는 A4 판형에 맞게 축소하거나 원본 비율을 유지한 채 A4 페이지 안에 삽입하였다. 또한 현재 시점에선 공개되지 않아 '공란'이란 표기만 있는 페이지 역시 그대로 실었다.

· 외교부가 공개한 문서 각 권의 첫 페이지에는 '정리 보존 문서 목록'이란 이름으로 기록물 종류, 일자, 명칭, 간단한 내용 등의 정보가 수록되어 있으며, 이를 기준으로 0001번부터 번호가 매겨져 있다. 이는 삭제하지 않고 총서에 그대로 수록하였다.

· 보고서 내용에 관한 더 자세한 정보가 필요하다면, 외교부가 온라인상에 제공하는 『대한민국 외교사료요약집』 1991년과 1992년 자료를 참조할 수 있다.

차례

정리보존문서목록

기록물종류	일반공문서철	등록번호	2021010232	등록일자	2021-01-28
분류번호	721.1	국가코드	XF	보존기간	영구
명 칭	걸프사태 : 대책 및 조치, 1990-91. 전11권				
생 산 과	중동1과/북미1과	생산년도	1990~1991	담당그룹	
권 차 명	V.3 1990.9월				
내용목차	9.2 이라크.쿠웨이트 사태에 관한 외무부 대변인 성명 발표 9.24 정부,페르시아만 사태 관련 경비분담 지원내용 발표 - 총 2억2천불 지원 및 의료단 파견 긍정 검토 - 9.7 미국 분담 요청 9.28 외무부, 주쿠웨이트대사관 활동 잠정 중단 결정 발표				

0001

이라크.쿠웨이트 事態에 관한 外務部 代辯人 聲明

90. 8. 2 10:00pm.

1. 大韓民國 政府는 이라크 軍隊에 의한 쿠웨이트 領土內에서의 軍事的 行動과 關聯한 걸프 地域內의 事態 進展에 對하여 깊은 憂慮를 表明한다.

2. 大韓民國은 이라크 및 쿠웨이트와 다같이 友好的 關係를 維持하고 있는 바, 兩國間의 紛爭이 武力이 아닌 平和的 方法으로 解決되기를 強力히 希望한다.

3. 또한 大韓民國 政府는 이라크軍이 可能한 한 早速히 쿠웨이트 領土로부터 撤收하기를 바란다.

0002

民自黨 政策評價 諮問委員會 結果

- 페르시아灣 事態와 我國의 對應策 -

1990. 9. 5.

0003

民自黨 政策 評價 諮問委員會는 9.5. 최호중 外務部長官 參席하에 "페르시아만 事態와 我國의 對應策"에 관한 外務部의 報告를 듣고 質疑 應答을 가졌는바, 이에 대한 諮問委員會의 見解 및 評價, 向後 政策 方向에 관한 意見은 다음과 같음.

1. 槪 觀

ㅇ 페르시아灣 事態가 아직 극히 流動的이며 앞으로 동 事態가 여하히 展開되느냐에 따라 我國에 甚大한 影響을 미칠것이 분명 하다는 점에서, 오늘 會議에서는 페르시아만 事態의 今後 展望과 이에 따른 우리의 對應策에 관하여 重點的으로 論議함.

ㅇ 諮問委員들은 현재까지 外務部의 금번 事態 관련 措置에 대하여 대체로 共感을 表示하고 앞으로도 外務部가 아국 國家利益의 여러가지 複合的인 면을 綜合的으로 고려 신중히 對處해 나갈것을 촉구함.

2. 具體 論議 內容 및 政策 方向 建議

가. 外交面

ㅇ 우리의 國際的 位相과 韓.美 關係를 考慮 유엔 決議에 따른 國際社會의 대이라크 制裁에 同參하고 韓.美간 緊密한 協調關係를 維持하는 동시, 다른 한편 中東地域에서의 우리의 經濟利益 保護 및 長期的 대 中東 外交 側面에서 可及的 이라크를 不必要하게 자극하지 않는 방향에서 愼重하게 對處한다는 外務部의 基本 方針에 의견을 같이함.

0004

나. 安保面

o 아직 동북아 지역 美軍 兵力의 중동 移動 사례는 없는 것으로 把握되나, 韓半島에서의 突發事態 發生時 중요한 後方 支援을 담당할 항공모함, 항공기, 예비지상군의 페르시아만 지역 大擧 集中에 따라 동북아 地域에서의 美國 軍事力이 相對的으로 弱化되고 있으므로 北韓의 誤判 挑發 可能性이 常存함. 이러한 위험은 페르시아만 事態가 長期化 될수록 더욱 增大될 것으로 보임.

o 또한, 美軍이 소기의 目的을 達成 못하고 페르시아만에서 撤收하는 경우 美國의 軍事 支援 公約에 대한 國際的 信頼가 弱化되어 北韓의 武力 挑發 可能性이 增大될 수 있음.

o 最近의 美.蘇 協調 관계나 蘇聯의 立場에 비추어 蘇聯이 北韓의 挑發 可能性에 대한 牽制 役割을 할 것으로 豫想되나, 대내외적으로 극히 어려운 狀況에 처한 北韓이 무모한 挑發을 저지를 可能性이 있으므로 우리로서는 이에 대한 충분한 對備가 必要함.

o 우리로서는 페르시아만 사태가 我國 安保에 미치는 影響을 감안 동 事態 推移를 銳意 注視하면서 美國과의 긴밀한 協議下에 韓半島 平和 維持를 위한 共同 對策을 마련해 나가야 할 것임.

0005

다. 經濟面

o 최근의 油價 上昇 및 페르시아만 무력충돌 可能性에 대비 아국으로서는 충분한 原油 物量 確保가 무엇보다도 긴요함.

o 이라크, 쿠웨이트산 原油가 아국의 原油 導入量 전체에서 차지하는 比重이 11-12%이며 페르시아만 사태 진전에 따라서는 중동원유 生産量이 대폭 감소할 가능성도 있으므로 우리로서는 原油 導入線 多邊化등을 통하여 원유 도입 결손분 보전 및 충분한 비축량 확보에 노력해야 할 것임.

o 有價引上은 세계 原油市場의 需給 사정에 따른 不可抗力的인 것이나, 우리로서는 유가 動向을 예의 주시하면서 國內 原油消費 節約, 油價와 國內 物價와의 連動性에 따른 인플레 방지, 輸出 競爭力 維持등을 도모하는 방향에서 經濟部處가 多角的인 對策을 마련해야 할 것임.

라. 駐 쿠웨이트 大使館 및 我國人 撤收 問題

o 駐 쿠웨이트 大使館 職員 撤收는 斷電, 斷水, 通信 杜絶등 제반 여건을 감안한 不可避한 決定으로 판단되며, 우리가 국제사회와 공동보조를 취해 주 쿠웨이트 대사관을 상당기간 유지시킨 것은 妥當한 措置임.

0006

o 이라크 殘留 我國人 撤收와 관련, 아국으로서는 殘留 勤勞者 保護, 未收金 問題, 아국의 長期的 經濟利益 保全이라는 면에서 이라크를 완전히 철수한다는 인상을 주어서는 곤란함. 따라서 잔류 아국인의 안전 문제에 유의하면서 현 단계에서는 아국인의 완전철수 시기 문제에 대해서 伸縮性있게 對處하는것이 바람직함. 그러나, 상황에 따라 아국인의 卽刻 撤收가 가능하도록 緊急 撤收 計劃 마련등 사전 대비에 만전을 기하여야 할 것임.

0007

3. 結　　論

o 前述한 바와 같이 페르시아만 사태가 극히 流動的임에 따라 우리로서는 武力衝突 發生 또는 平和的 解決의 두가지 시나리오를 모두 想定하여 別途의 對策을 마련해야 할 것이며, 이와관련 追後 適切한 時期에 諮問委員會 會議를 다시 開催할 豫定임.　끝.

0008

이라크. 쿠웨이트 事態와 關聯한 아랍圈의 版図 및 各国 立場(案)

1 9 9 0 . 9 . 6

対　　策　　班

0009

8.2 이라크.쿠웨이트 事態 勃發이 한달 지난 지금, 軍事的, 外交的 要因도 重要하지만 아랍圈内 動向도 主要 要因이며 이런 觀点에서 現在의 版圖와 向後 動向을 分析해 봄.

1. <u>아랍제국의 成立 背景</u>

ㅇ 1次大戰 終結後 오토만제국 崩壞 過程에서 西歐 列強에 의해 各國 國境 成立

ㅇ 2次大戰後 西歐諸國의 委任 統治로부터 獨立 新生 國家로 誕生

2. <u>勢力版圖 變化作用要因</u>

가. 이슬람 宗敎 및 汎아랍 民族主義

나. 各國의 利害如何에 따른 離合集散
- 이스라엘문제, 이란.이라크事態 對處等

다. 페르시아灣에 對한 美.蘇等 強大國의 利害關係

라. 石油 資源

0010

3. 이라크.쿠웨이트 事態로 인한 版圖變化 樣相

가. 親反 이라크 版圖

反이라크 (9)	微温的 反이라크 (3)	穩健이라크 지지 (5)	이라크 지지 (3)
사우디	레바논	요르단	예멘
이집트	지부티	PLO	수단
시리아	소말리아	리비아	모리타니아
모로코		알제리아	
카타르		튀니지	
바레인			
UAE			
오만			
亡命쿠웨이트			

* 反이라크세력 : 軍事的으로 介入한 나라(9個国)
  微温的 反이라크 勢力 : 아랍연맹의 反이라크 決議 支持

4. 아랍聯盟等 域内協議體 動向

o 아랍연맹

- 聯盟 會員國 20個國中 12個國이 反이라크, 8個國은 親이라크 態度 표명

0011

o GCC(걸프灣國家 協議會)

- 5個國, 現 中東事態에 共同對處, 反이라크 政策 採擇

o UMA(마그레브 아랍연맹)

- 5個國, 사우디 派兵問題에 대해 異見 露呈

5. 今番 事態가 가져 온 아랍圈의 版圖變化

1) 現在 아랍圈은 穩健派 中心의 反이라크 勢力이 優位 점위

o 反이라크 加擔(12個國), 親이라크 加擔(8個國)

2) 이집트, 사우디, 시리아의 反이락 위한 軍事的 結束 強化

o 이.이戰時 이집트, 사우디 中心의 穩健 아랍세력은 이라크 支援했으나 금번 反이락 勢力으로 轉換하고 西方側에 協力

o 시리아는 레바논, 이스라엘과의 關係等으로 인한 國際的 孤立에서 脫皮, 穩健 保守主義側 加擔

o 이집트는 反이라크 軍事的, 外交的 努力으로 向後 中東의 새 強國으로 浮上

- 이집트의 軍事 및 人力과 사우디의 石油等 금력 조화

0012

3) 西歐諸國의 軍事的 中東 進出 기회 제공

o 그동안은 公式的 駐屯 一體 不許
(但 바레인에 美 海軍基地 秘密許容)

o 사우디, UAE, 오만, 바레인, 카타르에 美軍等 約10萬 駐屯

4) 새로운 아랍지역 安保體制 構築 可能性

o 9.5 Baker 美國務長官 下院 聽聞會 證言時에 아랍지역 安定 및 勢力均衡 定着을 위해 NATO와 類似한 아랍지역 安保體制 創設 必要性을 力說하고 美軍의 長期 駐屯 可能性 強力 示唆

5) 그러나 뿌리깊은 아랍 국민들의 反美 및 反시오니즘 感情으로 向後 版圖 推測 不透明

o 親西方政策 推進은 支配階層
o 多數 國民은 被壓迫民으로서 王政 支配에 대한 不滿

6) 금번 이락. 쿠웨이트 事態로 인해 아랍圈의 分裂 더욱 심화

o 아랍圈의 團合은 當分間 期待難

添 附 : 各國 立場 一部

0013

各 国 立 場

1. 이집트 : 사우디, 시리아등 穩健 아랍국가를 糾合 反이락 中心國으로 浮上하였으며 이를 통해 美國 및 사우디로부터 막대한 財政援助 獲得 企圖

- 사다트 政府의 西歐와 이스라엘과의 分離政策 實施後 西歐와의 關係 緊密
- 美國으로부터 年20億弗 以上 援助 受惠
- 軍事 및 多分野 制裁 參與(2,000코만드등 5,000 派遣, 그외에 30,000 多國籍軍 派遣 提議說)
- 美行政府 70億弗 對이집트 軍事借款 蕩減 檢討中

2. 모로코 : 西歐와 緊密關係 維持

- 하산2世 王은 수니派로서 이스라엘 關係 仲裁役을 맡아 옴.

3. 사우디 : 이라크의 쿠웨이트 侵攻으로 이라크에 대한 不信 加重
   이집트, 시리아등에 莫大한 財政支援을 통해 이라크 侵略 저지 꾀함

- 外國 軍隊 駐屯 許容, 이라크 浮上으로 傳統的 均衡 外交 打擊
- 世界 石油 供給의 40% 以上 支配

0014

4. UAE : 쿠웨이트와 더불어 OPEC 쿼터量 超過生産
및 油價下落 부추김에 대한 비난 받음

5. 카타르, 바레인, 오만 : 西方 軍事 및 裝備 駐屯 許容

6. 시리아 : 금번 이라크. 쿠웨이트 事態에서 反이락 勢力
加擔으로 國際的 孤立으로부터 탈피

- 아사드 大統領, 사담 후세인과 中東 覇權을 노리는 競爭者
- 사우디의 財政支援 必要 및 蘇聯 關係 回復 企圖

7. 레바논 : 친이라크 반군이 基督敎側이 對이라크
봉쇄조치로 인해 打擊을 받고 있어
親시리아 하라위 정부의 立地가 大幅
強化되어 레바논은 反이락側으로 기울어짐

8. 요르단 : 가장 複雜하고 어렵게 연루된 國家

- 西方에 대한 仲裁 努力이 이라크側의 代辯人 役割인 듯한 印象을 주어 아랍圈 및 西歐로부터의 非難 漸增
- 内部的으로는 짧은 王政 歷史 및 팔레스타인人의 요르단 移住로 인한 不安 加重(全國民의 60% 팔레스타인人)

0015

9. PLO :

- 反美等 感情的 차원에서 이라크 支援하나 PLO 財政的 支援國이 사우디, 쿠웨이트 및 여타 產油國인 관계로 政策設定에 어려움 直面
- 팔레스타인 문제에 대한 이스라엘 關係에 있어서 立地 크게 弱化

10. 리비아 :

- 이라크에 의한 西方 人質化 反對
- UN 經濟制裁 또한 反對

11. 알제리, 튀니지, 모리타니아: 美軍의 軍事介入 反對, 아랍연맹 會議 不參

12. 수단 : 이라크軍 700名 駐屯 및 스커드 미사일 配置說

0016

이라크-쿠웨이트 事態와 我国의 対応策(案)

1990. 9. 7

外　　務　　部

0017

- 目 次 -

0018

I. 페르시아灣 事態 情勢 現況 및 展望

1. 現 況

1) 軍事的 對峙 및 交錯狀態

- 8.2 이라크軍의 쿠웨이트 侵攻으로 8.8 併合 및 西方 外國人 人質化
- 8.8 美國의 사우디 派兵과 8.13 해상봉쇄, 多國籍軍 및 아랍 聯合軍 派兵
- 이라크와 美國中心의 反이라크側間 相互 抑止 戰略으로 軍事的 交錯狀態 持續

2) 이라크의 國際的.外交的 孤立化

- UN安保理 결의로 侵攻 非難, 철군 促求, 合併 無効, 쿠웨이트 新政府 不承認, 外國人 즉시 出國 許容, 公館 폐쇄 命令 撤回 要求等
- UN 決議에 蘇聯,中國을 비롯한 13個國 贊成, 大多數 國家 同調

3) 經濟的 對이라크 봉쇄

- 經濟 制裁 결의, 蘇聯을 包含한 50여개국 同參, 經濟制裁 履行을 위한 軍事的 봉쇄 등의 26個國 參加로 經濟的 질식화 戰略 지속

0019

4) 外交的 解決 努力

- UN 事務總長과 이라크 外相間 會談(8月末 3次)
  - 별무성과 發表

- 蘇聯의 努力 繼續, 9 . 4 蘇外相, 中東平和 國際會議 提議

- 9 . 9 헬싱키 美. 蘇 頂上會談 豫定

- 요르단王等 아랍圈內 解決 努力

  * 이라크側이 多少 宥和的 態度이나 美側의 強硬 立場으로 當分間 外交的 解決 期待 難望

5) 이라크의 最近 動向

- 經濟制裁 武力化를 위한 外交活動 強化
  - 사담 후세인 大統領, 經濟封鎖로 어린이 餓死危機 呼訴, 多國籍軍에 대한 "聖戰" 促求(9 . 5 . 이라크 國營 TV)
  - 라마단 副首相 中國訪問, 軍需調達 要請
  - 經濟制裁에도 3年 지탱 豪言(PLO指導者 傳言)

0020

- 아지즈 外務長官, 이란 訪問 豫定(9 . 9)
  . 物資普及路 確保 努力 一環

o 美. 蘇 頂上會談 對備活動

- 아지즈 外務長官, 고르바초프 面談(9 . 5)
  . 美. 蘇 頂上會談 對備 이라크 立場 說明

o 對西方 宥和 제스쳐

- 쿠웨이트 殘留 外國公館員 問題關聯, 柔軟性 示唆

- 西方抑留者 부녀자 및 兒童, 航空機로 出國 許容 發表
  . 現在까지 約800餘名 出國

6) 美國 動向

o 封鎖 強化 努力

- 美함정, 이라크 商船(스리랑카 홍차 船積) 나포, 오만港口에 예인(9 . 4)

- 2個 高位使節團(國務長官-中東, 財務長官-歐洲 및 亞洲) 派遣 友邦諸國의 經費分擔 要請

0021

- 國務部, 이라크를 테러支援 國家로 再分類

o 中東 基本戰略 피력(9.4. 下院外交委 國務長官 증언)

  - 4大 目標 천명

    1) 이라크軍 쿠웨이트 無條件 撤收
    2) 쿠웨이트 合法政府 回復
    3) 美國人 保護
    4) 地域安定

o NATO型 地域安保體制(Regional Security Structure)必要性과 美軍 長期駐屯 可能性 示唆(사담 후세인 除去는 반드시 基本目標가 아님)

  - 이라크 體面維持를 위한 代價 支拂 斷乎 拒否

  - 軍事行動 自制

  - 이라크內 蘇聯軍事 고문단(193名) 撤收 促求

0022

2. 展 望

1) 槪 觀

ㅇ 이라크의 쿠웨이트 合倂 영구화는 國際輿論 등으로 보아 窮極的으로는 實現 不可能

ㅇ 이라크 內部 要因에 의한(政府 顚覆等) 短期間內 事態解決 可能性은 稀薄

ㅇ 反이라크側의 軍事的 억지, 外交的 고립화 및 經濟的 질식 戰略은 이라크側의 지구전략에 봉착하여 중.장기화 할 展望이 많음

ㅇ 全般的 中長期的으로는 이라크側이 漸次 劣勢化, 美國中心의 反이라크勢가 強化되어 가고 있음.

2) 軍事的 解決 可能性

ㅇ 이라크가 선제공격등 挑發치 않는한 多國籍軍의 軍事行동은 명분이 약하고 犧牲이 크므로 可能性은 稀薄함.

ㅇ 단, 이라크側의 명백한 주요 도발 등 명분이 있는 경우, 美 軍事力이 充分히 배치 완료된 후 쿠웨이트의 원상회복만을 위한 국지적 軍事行動 可能性은 있음.

3) 平和的 解決 可能性

0023

- 軍事的. 外交的. 經濟的 壓迫을 통한 이라크의 妥協. 讓步에 의한 解決

- 美國 중심의 다각적 압박은 앞으로 加速, 強化되어 이락측의 戰意와 投抗意志를 弱化시켜감.

- 이라크의 立場이 약화된 시점에서 反이라크側 最小限의 조건 수락선에서 協商에 의한 타결이 가능시

- 反이라크측의 壓迫이 強力, 持續化 不充分時는 상호 妥協에 의한 해결 可能性도 排除못함

- 現在로는 美. 蘇 西方 아랍 및 기타 世界 多數國의 廣範圍한 참여하에 對이라크 壓迫이 가속화 중이므로 相當時間 持續後 이라크의 讓步에 의한 원산회복선 에서 妥結 可能性이 많음

4) 아랍版圖 再編 및 美國이 主導하는 平和와 安定體制 構築

- 事態解決以後에도 美軍의 繼續駐屯과 美中心 安保體制 形成 可能

- 美國의 紛爭解決 能力 提高로 美의 汎世界的 影響力 增大

0024

II. 我國의 對處方案

1. 基本的 考慮事項

1) 我國人 安全 迅速 撤收

2) UN原則 遵守, 國際社會의 平和維持 活動參與 및 美國等 友邦과의 友好協力關係 尊重

3) 我國 國民經濟에 대한 충격 最小化와 중동소재 經濟利益 保存

4) 脫冷戰期의 새로운 國際秩序에 對處方案 講究

2. 當面問題 對處方案

가) 이라크 및 쿠웨이트 僑民撤收

ㅇ 僑民撤收 現況(9.7 現在)

區分 區別	僑民總帥	歸國 및 隣接國 安全待避	요르단滯留 (移動中包含)	殘留者
쿠웨이트	647	592	46	9
이라크	722	436		286
計	1,369	1,738	46	295

0025

- 쿠웨이트 僑民 사실상 全員撤收
  (殘留 9명은 撤收 不願)
- 이라크 殘留는 현대(215), 삼성(39), 한양(15), 남광(2), 정우(2)등 주로 建設會社 勤勞者
  . 9.10까지 200名以下 殘留 豫定
    (현대, 한양직원等 107名 撤收豫定)

o 撤收計劃

- 現地 進出業體 所屬 殘留僑民(勤勞者等)은 소속 業體와 緊密協調, 現地公館長 指揮 아래 段階的으로 早速撤收
  . 業體別 자체 撤收計劃 연계 推進
- 殘留 僑民의 完全撤收時 까지의 신변안전에 만전
- 完全 撤收 時期問題에 대해서는 殘留僑民 保護, 未收金 問題, 我國의 長期的 經濟利益保存等 제반사항 勘案, 伸縮性있게 對處
  . 돌발적인 狀況 惡化時 對備, 即刻 撤收 可能토록 緊急撤收 計劃 마련등 사전대비

o 無依托 撤收 僑民 事後對策
- 約250名의 撤收經費 支援 必要(約$818,000)

나) 쿠웨이트 駐在 公館 活動 中斷

0026

o 이라크 外務省 8.24日限 폐쇄토록 要求
(8.9 公翰)

o 措置

- UN 결의존중 8.24限 폐쇄에 일단 不應

- 8.27일 이래 斷電. 斷水 및 通信杜絶等 不可避한 狀況에서 9.2자로 일단 바그다드로 待避後 大使館 活動의 一時的 中斷
  . 앞으로 大使等 인근국 待避, 觀望 豫定

- 安全待避後 聲明發表 豫定
  . UN결의 尊重, 大使館 活動의 一時的 中斷 趣旨

다) 對이라크 制裁措置 參加 및 費用 分擔 要求 對應 問題

o 美側 要請 内容

- Bush 美大統領, 8.30(木) 特別 記者會見을 통해 對이라크 制裁措置에 따른 經費 分擔要求
  . 要請 對象國家: 日本, 韓國, 서독, 사우디, 아랍에미리트, 쿠웨이트 등

- Bush 大統領의 特使로 Brady 財務長官이 9.6(木)-9.7(金)間 訪韓
  . 大統領 禮訪, 副總理, 財務長官 午餐 面談
  . 페르시아만에서의 諸般 經費 分擔에 있어 韓國

0027

政府의 積極的인 寄與 要請

ㅇ 要請 對象國 反應(90.9.7 現在)

- 日本
  . 8.30, 日本閣議, 10億弗 支援 決定 發表
  . 支援方法: 多國籍軍을 위한 輸送, 物資, 醫療
    및 IMF 등을 통한 資金 形態

- 獨逸
  . 美側 要請 積極 檢討中
    * 美側 總 6億弗 規模 支援 要請
- 이미 航空機 20회 輸送 支援
- 輸送 船舶 및 旅客機 賃借 支援 豫定

ㅇ 考慮事項

(肯定的인 面)

. 韓.美 基本 安保協力關係
. 앞으로 韓半島 有事時에 對備, 美國을 肯定的으로 受容한다는 姿勢
. 我國의 對中東 原油 依存度에 따른 道義上 問題
  * 75.4%(64만 B/D)

(否定的인 面)

. 我國의 現 經濟 事情

0028

. 이라크 殘留 我國 僑民 安全(9 . 6 現在: 340名)
  및 對이라크 建設 代金 回收上의 問題
. 國內 輿論上의 問題
. 이라크 事態가 長期化될 경우 經費 增大 可能性
. 아랍 世界에 있어서 韓國이 두드러지게 親美的
  이라는 印象을 줄 憂慮

0029

國會 豫想 質疑 答辯 資料

1990. 9. 7.

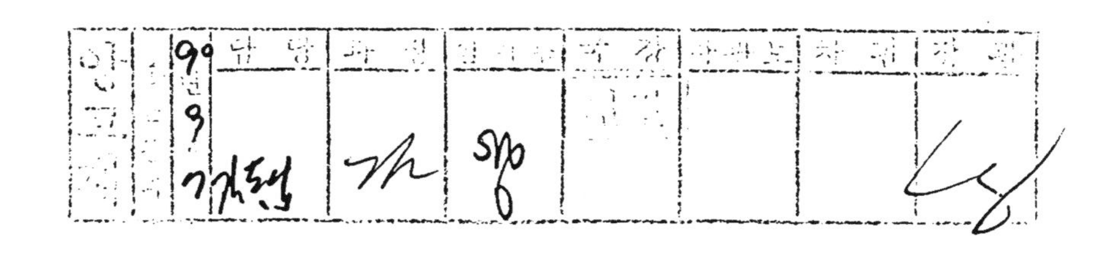

外　　　務　　　部
中東아프리카局

0030

〈國 政 監 査 時〉

與黨 議員 質問 資料(案)

o 이라크.쿠웨이트내 우리나라 僑民 安全 및 非常 撤收 對策은 무엇이며, 撤收 僑民들에 대한 事後 對策은 무엇인가?

〈答 辯 要 旨〉

o 걸프事態 勃發(8.2) 당시 쿠웨이트에 605名, 이라크에 722名, 總1,327名의 僑民이 있었으나

o 現在(9.6) 쿠웨이트 9名, 이라크 286名을 除外한 僑民을 無事하게 撤收 시켰으며 殘留 僑民도 段階的으로 撤收시킬 豫定임.

0031

〈答辯 內容〉

o 撤收 對策 關聯, 政府는 僑民의 身邊 安全에 最優先을 두고,
  - 現地 公館의 撤收 計劃에 依據,
  - 僑民을 迅速 安全하게 撤收키 위하여
  - 大韓航空 特別機를 2회 投入하였으며, 當部에서는 中東地域 勤務 經驗者中 中堅職員 2名을 요르단에 派遣 1,032명의 僑民 撤收를 支援하였음.

o 그간 駐 쿠웨이트, 이라크, 요르단 公館을 비롯
  - 關聯業體와 關係部處의 協調와
  - 關係國 政府와의 緊密한 外交 交涉 結果로
  - 쿠웨이트 僑民 撤收는 完了 되었다고 말씀드릴수 있음

o 쿠웨이트 殘留 僑民은 公館의 撤收 권유에도 불구하고
  - 殘留를 希望하는 僑民들임을 參考로 말씀 드림

o 現在 이라크에 200여명의 僑民이 殘留하고 있는바, 政府는 同 僑民도 早速 撤收시키고자 하는 立場이나,
  - 대부분이 우리 建設業體 所屬 勤勞者로서
  - 이라크 발주처의 承認과 出國 許可를 받아야 하므로,
  - 이라크의 行政 節次가 끝나는 대로 繼續 撤收 豫定임

0032

o 現地 進出 建設業體의 經濟的 權益도 考慮,

- 公館과 業體가 緊密히 協調하여
- 殘留 僑民 身邊 安全 및 撤收에 萬全을 기할 것임

o 무의탁 撤收 僑民에 대하여는

- 業體 所屬이 아닌 僑民들은 모든 財産을 喪失하고 緊急 避難 撤收한만큼
- 이들은 天災地變에 준하는 事態로 인한 이재민으로 간주, 社會福祉 次元에서 항공료 및 撤收 經由地 체재 費用등 最小한의 政府 支援이 必要할 것으로 봄

o 따라서 무의탁 撤收 僑民 251명에 대해

- 항공료 및 숙박비등을 豫備費에서 補塡해 주도록 關係部處와 協議中에 있음

o 끝으로 化學戰 可能性에 對備

- 殘留僑民에게 방독면 緊急 供給이 必要하다고 判斷되어
- 所要 經費를 關係部處와 協議中임

첨부 : 교민 철수 현황

0033

o 이라크의 쿠웨이트 併合 措置에 대한 政府의 公式 立場은 무엇이며 駐 쿠웨이트 大使館 撤收 問題는 어떻게 對處하고 있는지요?

〈答 辯 要 旨〉

o 이라크 政府는 쿠웨이트를 併合(8.8)後 쿠웨이트 駐在 外國公館을 8.24한 閉鎖할것을 要求 하였음.

o 우리나라는 同 措置 無效를 宣言한 유엔決議(662)에 呼應 公館을 閉鎖치 않았음.

〈答 辯 內 容〉

o 우리 政府는 이라크의 쿠웨이트 併合의 無效를 宣言한 유엔 決議(662)에 呼應하여 駐 쿠웨이트 大使館을 閉鎖하지 않는것이 基本 立場임.

o 이라크는 8월 24일 이후 쿠웨이트내 모든 外交官에 대한 一切의 外交 特權을 剝奪하였으며,

o 我國 公館도 8월 27일부터 斷電, 斷水 措置로 45℃ 이상되는 무더운 氣候에 公館員들의 苦痛이 말로 表現할 수 없는 정도였고

0034

o 특히, 8월 29일 부터는 大使館의 非常 通信機의 故障으로

- 바그다드 우리나라 大使館과 交信이 杜絶되어

- 쿠웨이트내 友邦國 公館을 통하여 報告를 하는 實情 이었음

o 正常勤務가 不可能한 狀態하에 公館員 健康과 安全이 憂慮되어

- 9월초 소병용 大使등 公館員 4名을 일단 주 이라크 大使館으로 撤收토록 하였음

o 따라서 駐 쿠웨이트 大使館 活動은 一時 停止 되었으며, 소大使 一行을

- 隣近國에 우선 撤收하고 事態 進展을 觀望後 歸國 與否를 決定할 豫定임

9.30 철수

o 소병용 大使 一行이 이라크를 出國한 후에 동 事實을 公式 發表할 豫定이며 동 措置가 이라크의 쿠웨이트 併合을 無效로 宣言한 유엔 安保理 決議를 遵守하는 政府의 基本 立場에 아무런 變動이 없음을 聲明을 통하여 對外的으로 밝힐 豫定임

0035

最近 中東情勢 및 展望

1990. 9.

外 務 部

0036

題 目 : 中東地域 情勢 및 展望

最近 中東地域 情勢 및 걸프事態 進展事項을 아래와 같이 報告 드립니다.

現 況

가. 美·蘇 項上會談 結果 (9.9. 헬싱키)

o 이라크에 대한 유엔 安保理 決議 受諾 再促求

o 武力使用 問題 異見 露出

美國 : 이라크, 蘇聯 軍事 顧問團 撤收 要請
多國籍軍 參與 要請

蘇聯 : 經濟 制裁 效果 期待
武力에 의한 事態 解決 反對 ~~使用 反對~~

- 당분간 事態의 政治的 解決에 努力을 경주할 것에 合意

~~o 具體的 打開策 마련에는 실패~~

o 中東地域 安保 協力機構 構築에 共同 努力 示唆

o 經濟 封鎖 效果 없을시 유엔 安保理 追加 措置가 필요하다는데 合意

- 對 이라크 經濟 制裁에 食糧 供給 例外 ~~[illegible]~~ 檢討.

0037

나. 關聯國 動向

1) 이 라 크

o 經濟 封鎖 打開 努力

- 이란, 이라크 外交關係 再開 合意 (9.10)

. 이란, 對이라크 食糧 供給 可能性 示唆

- 라마단 副總理 中國 訪問 (9.6)

. 中國, 對 이라크 食糧 供給 可能性 示唆

- 아지즈 外務長官 蘇聯 訪問 (9.5)

. 美.蘇 頂上會談 對備

- 第3世界 原油 無料 供給 提議 (9.10)

o 美國 및 多國籍軍에 대한 "聖戰" 促求

- 反美, 反西方을 위한 아랍의 團結 呼訴

o 對西方 宥和 제스쳐

- 쿠웨이트 殘留 外國 公館員 問題 柔軟性 示唆

- 西方 抑留 兒女子 航空機로 出國 許容 發表

. 約 800여명 出國 (9.8)

o 美.蘇 헬싱키 頂上會談 關聯 反應

- 會談 結果 失望 表示 및 非難

- 美 軍事 行動 自制에 安堵

0038

2) 美　國

o NATO 會員國에 派兵 要請 (9.11)

- 英國, 터키외 NATO 會員國 微溫的 反應

o 對 이라크 封鎖 强化

- 美 艦艇, 페르시아 商船 檢問 檢索 强化

- 2개반 特使 派遣 (국무장관-중동, 재무장관-구주, 아주)

. 友邦諸國의 軍費 分擔 要請, 120억불 規模 確保

o 中東 基本 戰略 披瀝(9.4. 하원 외교위 국무장관 증언)

- 4대 目標 再闡明

. 이라크軍의 쿠웨이트 無條件 撤收

. 쿠웨이트 合法政府 回復

. 美國人 保護

. 地域 安定 (지역 안보체제 필요성 강조)

3) 蘇 聯

o 對 中東 影響力 行使 努力

- 中東平和 國際會議 提議(9.4. 외무장관 블라디보스톡)

. 쿠웨이트 事態, 팔레스타인 問題등 中東問題 包括 論議 必要

. 쿠웨이트 占領 이라크軍을 UN軍으로, 사우디 駐屯 美軍을 아랍 多國籍軍으로 代替案

. 이스라엘이 동 會談에 응할 경우 外交關係 再開 示唆

0039

o 對 이라크 撤軍 壓力

- 사담 후세인에게 國際 大勢에 따른것을 促求

o 美軍의 걸프로 부터의 撤軍 壓力

- 非軍事的 政治 解決 緊要 言及 (외무장관)

- 事態 解決後 UN군 代置後 美軍 사우디 撤軍

- 걸프地域 美軍 增强이 東西 戰力 均衡破壞 憂慮 表明(소련군사령관)

- 事態 解決後 사우디 駐屯 美軍 撤收 主張, 美側의 同意 獲得 (9.10. 헬싱키 미.소 정상회담)

4) 아랍권

o 후세인 요르단 國王, 歐洲 및 아랍 諸國 巡訪後 이라크 訪問(9.6)

o 가다피 리비아 指導者, PLO 高位關係者등 平和案 提示

- 쿠웨이트 領土 一部 할양후 이라크군 撤收

- 多國籍軍 撤收 및 아랍平和軍으로 대체

- 對이라크 經濟封鎖 解除

o 아랍聯盟 13個國 外務長官 會談 開催 (8.31. 카이로)

- 걸프事態의 平和的 解決方案 摸索

- 親 이라크 8個國 不參

0040

事態 分析

가. 長期化 要因

- o 對이라크 經濟 制裁 措置 効果 최소한 2~3개월후 期待
  (슐레진거 전국방장관 6개월 소요 예측)
- o 이라크의 經濟 封鎖 効果 實効性 不透明
  - 이란과의 復交(9.10)
  - 中共등 제3세계 補給路 確保
  - 在庫 穀物 수개월분 保有(금년도 수확분 포함)
- o 美軍 사우디 配置에 약2개월 追加 所要
- o 政治的 解決 경우, 各國의 理解 관계 및 아랍권 分裂로 合意点 導出에
  時日 所要

나. 短期化 要因

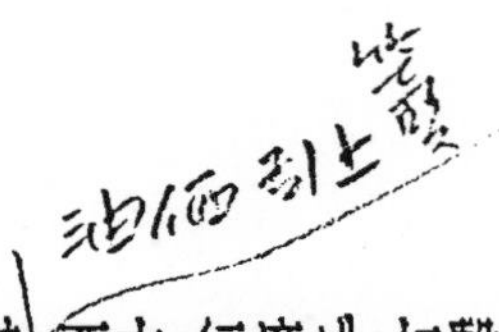

- o 事態 長期化時 西方 經濟에 打擊
- o 걸프내 美軍 長期 駐屯時 蘇聯의 不滿, 아랍권 反美 高潮
- o 西方人 長期 抑留時, 美 輿論 變化
  - 美國의 11월 중간 選擧에 불리
- o 이라크의 수년내 核武器 保有 憂慮

0041

o 美軍 長期 駐屯時 軍備 負擔 問題

- 今年度分 各國 分擔(약 120억불 확보)

綜 合 觀 察

o 同 事態는 이라크의 讓步가 없는한 解決이 難望視 되는바, 事態는 長期化 展望

o 對이라크 經濟 制裁를 위한 軍事·外交的 壓迫을 加重하면서 일단 그 效果를 期待할 것으로 보나, 그 實效를 못 거둘 경우 유엔을 통한 追加 措置 可能視

o 軍事 衝突은 可能한 回避하려는 것이 大勢이며, 事態를 政治的으로 解決하려는 國際的 努力 展開 展望

0042

페르시아만 사태 전망과
비용 분담 문제

90. 9.

미 주 국

0043

I . 페르시아만 사태 전망

1. 미국의 기본 전략

o 외교적 압력, 경제 제재, 군사적 힘의 과시 등 집단적 대응을 통한 이라크의 쿠웨이트로 부터의 궁극적인 철수 목표

- 미쏘간 헬싱키 정상회담(9.9.) 및 외무장관 회담(8.3. 및 9.13.) 개최를 통한 협조 체재 구축

o 금번 사태를 통하여 중동지역 미군의 장기적 존재 명분 구축

o 금번 사태에 소요되는 제반 경비를 우방국과 책임 분담

2. 종합적 전망

o 미국을 비롯한 다국적군과 이라크군간 군사적 충돌 위협의 고비가 넘어감에 따라 고착상태 장기화 가능성이 높음

o 그러나 평화적인 사태 해결의 전망이 어둡고 이라크에 의한 서방 인질 위해 위협이 증가하는 경우 미국이 군사적 조치에 의한 사태 해결을 도모할 가능성도 불무함.

3. 예상되는 상황별 전망

가. 미국과 이라크와의 무력 충돌 가능성

o 미국은 이라크의 도발이 없는 상태에서 선제 공격을 감행하기는 어려움.

- 아랍권내의 반서방 감정 및 반시오니즘 대두 가능성
- 선제 공격을 위한 군사태세 미비 등 공격 작전 수행의 현실적 어려움 및 중동 전지역으로의 확전 위협성 등

0044

ㅣ ㅣ

o 아울러, 이라크에 의한 군사적 도발 가능성도 적다고 판담됨.

- 중동지역 및 세계 여론 불리
- 도발시 다국적군에 의한 보복 예상
- 군사적으로도 공군력의 절대 열세

(최악의 경우, 이스라엘에 대해 공격을 감행할 가능성)

o 그러나 군사적 긴장이 가속화 될 경우 무력 충돌이 발생할 가능성을 완전히 배제할 수 없음.

- 이라크군의 쿠웨이트 철수, 사담 후세인 제거, 이라크의 화학전 및 핵전 능력 제거 등의 목표를 달성하기 위해서는 결국 페르시아만 사태를 군사적으로 해결할 수 밖에 없다는 입장 (Quayle 부통령, Cheney 국방장관, Kissinger 전 국무장관 등 강경파 의견)
- 영국 정부 고위 관리(Thatcher 수상 등) 들도 다른 대안이 없을 경우 결국 무력 충돌이 불가피할 것임을 공개적으로 언급.

나. 정치적 해결 가능성

o 양측이 수용 가능한 타협안 마련될 가능성 희박
(예컨대 이라크군의 쿠웨이트 철수 및 이라크의 Gulf만 지역 access 확보, 쿠웨이트의 UN 감시하 자유 선거를 통한 정부 수립 등)

- 미국은 유엔 안보리 결의 660호의 완전한 실현 입장 강력 견지
- 이라크는 쿠웨이트를 자국 영토화하고 포기하지 않겠다는 입장 견지

다. 교착상태 장기화 가능성

o 대 이라크 경제 제재 조치의 실질적 효과를 거두기 위해서는 최소한 3-4개월 소요

0045

o 이라크군은 이미 참호 구축 등 장기 태세에 대비

- 8년간에 걸친 이.이전 경험

o 다만, 이라크 국민의 불만에 의한 내부 쿠데타 발생 가능성 있음.

4. 페르시아만 사태가 향후 동 지역 정세에 미칠 영향

가. 중동지역 정세에 대한 영향

o 금번 사태의 수습 향방이 향후 중동지역 정세에 다대한 영향

- 쿠웨이트 왕가의 복귀 여부는 여타 왕정 아랍국가에게도 매우 중대한 문제

- 특히 금번 사태가 전반적으로 이라크에 유리하게 타결되는 인상을 줄 경우, 사담 후세인은 아랍민중의 상징적인 지도자가 되고, 왕정 아랍국가의 불안은 더욱 증폭 예상

  · 이 경우 왕정 아랍국가의 친서방 경향 강화

  · 왕가와 아랍민중 사이의 괴리 현상 가속화 예상

o 아랍연맹, OPEC 등의 결속력은 다양해진 회원국간 이해 관계로 인해 종전에 비해 약화될 가능성

나. 지역 안보체제 및 주사우디 미군의 장래

o 베이커 장관, 9.4 의회 증언을 통해 지역안보 체제(regional security structure) 필요성 강조

- 미측으로서는 상금 구체적 복안은 없는 것으로 파악

- 아랍 각국이 스스로 구체적 제안을 마련함이 바람직하다는 입장 견지

0046

o 사태 종료후 소수의 미 지상군 잔류

- 기존의 해군력과 공군력을 강화하는 선에서 미국의 presence를 유지할 것으로 예상

  (단, Helsinki 미.쏘 정상회담시 부쉬 대통령은 사태 해결후 미군이 완전히 철수할 것입을 고르바쵸프에게 약속)

* 베이커 구상의 단기 목표

- 이라크에 대항하는 세력의 주축인 이집트-사우디 관계 강화
- 이라크의 군사력을 상쇄하기 위한 미군의 장기적인 걸프만 주둔 확보

0047

Ⅱ. 아국의 비용 분담 문제

1. 미국의 요청 내용

가. 브래디 미 재무장관 방한시 상황 설명 및 요청내용(9.7. 대통령 예방시)

- ㅇ 금번 페르시아만 사태와 관련 미측의 정치, 외교적 목적과 군사 전략을 설명

- ㅇ 페만 군사 작전에 소요되는 경비 일부와 이라크에 대한 경제 제재 조치 참여로 경제적 피해를 입고 있는 소위 전선국가(front-line states)(이집트, 터키 및 요르단 거명)에 대한 아국의 경제 원조 제공 요청

- ㅇ 아국의 수송지원 계속 요청

2. 정부 입장

- ㅇ 전통적인 한미 우호 관계를 감안, 미측의 요청을 적극적으로 수용
  - 우리의 경제와 안보 상황에 비추어 능력 범위내에서 가능한 지원을 할 것임. (대통령 언급 요지)

- ㅇ 아국의 지원 규모, 가용 재원 등에 관한 정부간 협조 체제 유지
  - 관계 부처 실무 국장급 회의(9.14. 외무부)
  - 고위 관계 장관 회의 개최, 정부 입장 결정 필요성

0048

페르시아만 事態 關聯
我國의 費用 分擔 問題

(장관님 소장본)

1990. 9.

外 務 部

0049

目 次

0050

1. 美國의 要請 內容

가. 브래디 美 財務長官 訪韓時 要請內容(9.7. 大統領 禮訪時)

° 페만 軍事 作戰에 所要되는 經費 一部와 이라크에 대한 經濟 制裁 措置 參與로 經濟的 被害를 입고 있는 이집트, 터키 및 요르단 등 前線國家(front-line)에 대한 我國의 經濟 援助 提供 要請

- 美國의 中東 派兵으로 매월 30억불 정도의 軍事 經費가 所要
- 經濟的으로 심한 被害를 입고 있는 상기 國家들의 援助를위해 금년중 35억불이 所要되고 내년중에는 70-80億弗이 所要

2. 各國 反應

日本

° 8.30. 日本 閣議, 多國籍軍 活動 支援 資金 10억불(약1,500억엔)을 今年度 豫備費에서 支出키로 決定

° 9.14 日本 政府, 多國籍軍 活動支援 經費로 10億弗을 增額시키고, 前線國家 3개국에 20億弗 規模의 經濟 支援 提供 計劃 發表(總 40億弗)

- 가이후 首相이 Bush 大統領에 電話로 通報

0051

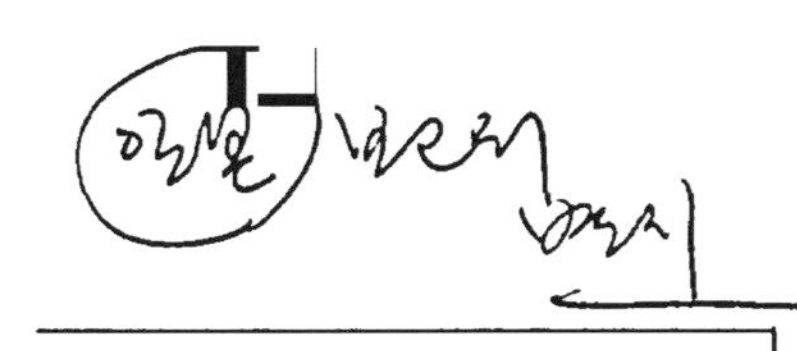

* 支援 方案

o 輸送 協力 :	民間 航空機 및 船舶 傭船, 食糧.食水.醫藥品 等 非軍事的 物資 輸送 協力
o 物資 協力 :	사막지대에서의 活動 支援을 위해 防暑 및 食水 確保를 위한 裝備 提供
o 醫療 協力 :	醫療團 緊急 派遣 體制 整備中 (우선 의사, 간호원 10명 파견, 최종 100명 파견 목표)
o 資金 協力 :	各國 航空機 賃借 및 船舶 傭船 費用 充當을 위한 資金 提供 等

西獨

o 支援 規模 : 總33億 마르크(約20.8億弗)(9.15. Kohl 總理 發表)

o 支援內譯

- 對美支援 : 16億 마르크(10.1억불)
  (車輛, 通信裝備, 化生防 裝備等 軍用 重裝備 形態 支援 包含)
- EC 設立 前線國家 援助 基金 支援 : 4億2千万 마르크(2억6천2백만불)
- 前線國家에 대한 直接 援助 : 12億 8千5百万 마르크(8억2백만불)

0052

· 對 이집트 直接 援助(原資材 및 開發 援助 形態) : 9億7千5百万 마르크
(6억9백만불)

· 對 요르단 直接 援助(原資材 形態) : 2億 마르크(1억2천5백만불)

· 對 터어키 直接 援助(原資材 形態) : 1億1千万 마르크(6천8백만불)

o 前線國家의 對獨 債務 蕩減
(이집트 9億 7千5百万, 요르단 2億, 터키 1億百万 마르크)

EC 제국

o EC 外相 會議에서 軍事的인 支援은 제공하지 않고 약20억불의 緊急 經濟援助를 提供하기로 決定

벨기에

o 地上軍 派遣은 전혀 고려하지 않고, 兵站 支援 協調는 檢討할 수 있으며, 經濟 支援은 EC 차원에서 共同 補助를 취한다는 立場

英國

o Baker 美 國務長官은 9.5. 英國의 追加的인 軍事 協力과 被害國에 대한 1億弗 상당 援助 要望

0053

o 9.15 英國은 第2次 大戰 以來 最大 規模의 追加 派兵 發表

- 1個 機甲 旅團(8,000名), 탱크120대, 항공기 等
- 援助額은 EC 次元에서 協議中

이태리

o 總1億4千5百万弗 支援 約束

사우디 아라비아, 쿠웨이트 및 U.A.E

o 상기 3개국은 總 120億弗 支援 約束

- 쿠웨이트 亡命政府는 상기120億弗中 50億弗 支援

其他 國家

o 濠洲, 醫療陣 20名, 難民 救護費 800万弗 支援

o 臺灣, 2-3億弗 支援 豫想

0054

3. 費用分擔 問題에 관한 美國內 雰圍氣

議 會

o 日本, 獨逸의 微溫的 協調 態度에 強力한 不滿 表示

- 美 下院, 9.12 駐日 美軍의 經費 全額을 日本이 負擔토록 要請하는 Bonior 修正案 壓倒的 多數로 採擇

行 政 部

o 日.獨의 非協調的, 微溫的 態度에 不滿 表示

o 韓國도 適期에 積極的인 支援 意思를 表明함으로써 日本과 같이 非難을 받지 않도록 함이 좋을 것이라는 見解 表示

- 初期의 迅速한 輸送支援 事實 높이 評價

- 9.17. 美 國務部, 白堊館, 國防部 高位官吏, 外務長官 禮訪時 我國이 早速한 時日內 支援 意思를 表明해 줄 것을 要請

言 論

o 각종 論說, 記事를 통해 友邦國, 특히 日.獨의 微溫的 態度 批判

0055

4. 我國의 立場

o 傳統的인 韓.美 友好 關係를 감안, 美側의 要請을 積極的으로 受容

 - 우리의 經濟와 安保 狀況에 비추어 能力 範圍內에서 可能한 支援을 할 것임. (大統領 言及 要旨)

o 금번 大洪水로 인한 被害 복구 및 水災民 支援에 필요한 막대한 緊急 財政 需要 現實 고려

0056

5. 向後 措置 計劃(案)

가. 多國籍軍 活動 支援

1) 輸送 分野 支援 繼續

o 貨物 輸送機 支援

- 美國이 가장 必要로 하는 分野인 만큼 美側의 要請 있을시 수시 支援토록 함.

  * 支援 規模 및 回数 決定要
  * 1회 지원 소요 비용 : 약50만불

- 貨物 輸送機 1대 提供 積極 檢討 (約2個月 程度)

  · 支援 金額보다 積極的 支援 意思 表示로서의 象徵性 多大
  * 1개월 賃借時 約 550万弗 所要
  * 美側, 輸送機 2대 無期한 提供 要請
    (단, 航空社側은 諸般 技術的인 問題에 비추어 輸送機 無期限 支援은 不可能하다는 立場)

o 貨物 船舶 支援

  * 支援 規模 및 回数 決定要
  * 1회 支援 所要 費用 : 約 200万弗

* 旣 支援 措置 內容 : 총350만불 상당
o 貨物 輸送機 1대 賃借, 3회 輸送 支援 : 약150만불 상당
o 貨物 輸送船 1척 傭船, 1회 輸送 支援 : 약200만불 상당

2) 미국의 다국적군 활동에 대한 直接經費 支援. (재정지원 방안.)
  * 지원규모 결정요.

3) ~~2)~~ 이집트에 防毒面 提供

o 이집트와의 修交 基盤 造成에 기여 측면 및 前線國家에 대한 支援 名分 감안

0057

o 多國籍軍에 참여 활동중인 이집트군 5,000명에 대한 防毒面 5,000着 支援 推進(약70만불 상당, 수송비 포함)

나. 前線國家 支援

1) 剩餘 쌀 支援

o 대이라크 制裁措置 參與로 被害를 입고 있는 國家에 대한 剩餘 쌀 支援 檢討

* 政府米 在庫('89) : 170만톤
* 輸出 可能量 : 40만톤
- 10만톤 支援 경우 4,000만불 相當(輸送費 약 1,000만불 정도 追加 所要)

2) 對外 經濟協力基金(EDCF) 支援

o 現在 可用 基金

- 약 4,000만불

o 支援 條件

그룹 분류	분 류	지 원 조 건	
		금리	상환기간(거치)
I	UN 분류 최빈국	2.5%	25년 (7년)
II	'87 1인당 GNP 940불 이하	3.5%	20년 (5년)
III	'87 1인당 GNP 1,940불 이하	4.2%	20년 (5년)
IV	'87 1인당 GNP 1,941불 이상	5.0%	20년 (5년)

* 이집트는 그룹 II, 요르단은 그룹 III에 속함

0058

o 支援限度 : project 당 1,500만불 이하

3) 無償援助 配定額 早期 執行

o 이집트, 요르단에 대한 90년도 無償援助 배정액 36만불 및 9만불 執行

- 요르단, 90.8.9. 給水車 2대 支援 要請(약13만불 상당)

※ 車輛 支援의 경우, 製作에서 delivery 完了까지 6개월 이상 소요

4) 國際 移民 機構(I.O.M : Int'l Organization for Migration)에 대한 寄與金 提供

o 現在 필리핀, 스리랑카, 요르단 등 이락, 쿠웨이트 居住 自國民 本國 送還 위한 輸送支援을 我國에 個別 要請

o 國際 移民 機構도 難民 輸送을 위한 支援을 我國 포함 各國에 要請中

o 個別 國家에 대한 支援 要請에 응하는 경우, 막대한 財源이 所要될 것으로 豫想

※ I.O.M에 약 50만불 정도 寄與金 提供함으로써, 象徵性 多大 效果

0059

6. 所要 財源

가. 輸送 支援 經費

o 旣 支援 : 350만불

o 向後 所要額 :

- 航空機 :

- 船 舶 :

o 90년도 豫備費에서 支出

나. 쌀 支援

o 쌀 支援分 :

o 輸送費分 : 90년도 政府 豫備費에서 支出

다. 방독면 購入費

o 90년도 豫備費에서 支拂(방독면 및 輸送費 70만불)

라. 前線國家에 대한 經濟支援

o EDCF 基金 活用

마. I.O.M.에 대한 寄與金

o 90년도 豫備費(50만불)

0060

7. 其他 考慮事項

弘 報

o 政府의 對美 支援措置에 대한 國民的 共感帶 擴散을 위해 弘報 展開

- 유엔 安保理 決議에 따른 國際的 努力에의 同參 必要姓 浮刻

- 中東事態가 南北韓 關係에 미칠수 있는 影響 說明

  · 政治的 문제의 解決 手段으로서의 武力使用은 용납될 수 없고 國際的 膺懲을 받아야만 한다는 大義 名分 強調

  · 北韓의 武力 赤化 統一 野慾에 대한 間接 警告 效果

- 旣存 韓美 友好 協力 關係를 고려한 協調 必要性 強調

支援 時期

o 政府 立場 決定되는 대로 即時 美側에 통보함으로서 友邦으로서의 協調 意志 誇示

- 美國의 期待와 我國의 支援能力 間에 格差가 클 것임을 감안

- 美國 議會, 行政府內의 對 我國 不滿 소지 事前 豫防

發表 問題

o 外務長官이 對外 發表함. (副總理 또는) 국장 FMㄱ

0061

(肯定的인 面)

- 我國의 國際 平和, 安全 維持에 관한 確固한 意志를 內外에 誇示
- 對美 友好 協力 關係 誇示
- 政府가 하고 있는 일에 대해 國民에게 알릴 必要性 考慮

(否定的인 面)

- 이라크 居住 我國 僑民 安全 危害 招來 可能性
- 對이라크 建設 未收金 回收 不可 可能性
- 大 洪水와 關聯 國內 反美感情 刺戟 可能性

添 附 : 各國의 經濟力 比較

0062

(添附)

各國의 經濟力 比較

(1988년 기준)

	韓 國	日 本	西 獨
GNP (억$)	1,728	28,589	12,882
1인당 GNP($)	4,127	23,317	19,741
인구 (만명)	4,000	12,325 (89.10)	6,108
교역규모(억$)	1,239 (89년)	4,940 (89년)	6,112 (89년)
무역흑자(억$)	9 (89년)	564 (89년)	716 (89년)
외환보유(억$)	152 (89년)	851 (89.9.1)	533 (88년)
외채(억$)	294 (89년)		

* 日本은 我國에 비해 총GNP에서 약16배, 1인당 GNP에서 약6배, 交易 規模에서 약4배임. 또한 國際收支의 경우 90 上半期中 日本 260억불 黑字, 我國은 90.8. 말 現在 약30억불 赤字 記錄

0063

페灣 事態 關聯, 經濟支援 分野 檢討

1990.9.11.
국제경제국

1. 醫藥品 : 페니실린, 마취제, 수술용붕대, 가제등
   - o 國內購入이 容易하고, 迅速한 輸送가능
   - o 人道的 目的 지원 부각 효과

2. 담요
   - o 規格上 선택의 어려움이 없고, 購入이 容易하며, 難民用으로 적합
     ※ '89년도 우간다 貧民救濟用 지원시 輸送料 포함 1장당 가격 16$

3. 衣類 : 잠바, 바지, 내의, 양말등
   - o 我國의 輸出 主力 商品으로서 製造 및 購入이 容易하고 輸出市場개척 효과 기대

4. 쌀
   - o 剩餘 政府米 해결에 기여
     - · 政府米 在庫('89) : 125만t
     - · 輸出 可能量 : 40만t
   - o 考慮事項
     - - 5,000t 이상 長期貸與 혹은 無償援助時, FAO 산하 剩餘 農産物 處理 小委員會(CSD)에 사전 통보, 利害當事國과 協議를 거쳐야 함.
     - - 無償援助時, 해당 國內價格 상당액을 糧穀 特別會計에 보전하여야 함
       - · 國內價格 : 830불/t (國際價格: 350-400불/t)
     - - 이집트, 요르단, 터키등 支援 對象 國家의 主食이 쌀이 아니며, 消費하는 쌀의 경우도 我國 쌀과는 다르게 sticky 하지 않음 (이집트는 쌀 輸出國)
     - - 運送料
       - · 國內運送 費用 (輸送費, 倉庫料, 荷役料등) : '89 대 파키스탄 고추 지원시 3,000t의 고추 運送料 2억 2,600만원 소요

0064

5. 對外經濟協力基金 (EDCF) 支援

o 基金現況

- 基金規模('90): 2,017억원 ($2.6억)

- 實績 : 현재 약 2억$ 상당의 基金支援 旣決定 및 검토중

o 支援條件

그룹 분류	분	지원 조건	
		금리	상환기간(거치)
I	UN 분류 최빈국	2.5%	25년 (7년)
II	'87 1인당 GNP 940불 이하	3.5%	20년 (5년)
III	'87 1인당 GNP 1,940불 이하	4.2%	20년 (5년)
IV	'87 1인당 GNP 1,941불 이상	5.0%	20년 (5년)

※ 이집트는 그룹 II, 요르단은 그룹 III에 속함

o 支援限度 : project당 1,500만불 이하

6. 參考事項

o 이집트, 요르단에 대한 90년도 無償援助 배정액 36만불 및 9만불 상금 未執行

- 금번 사태 관련 經濟支援과 연계 검토

- 요르단, 90.9.9 給水車 2대 지원요청 (약 13만불 상당)

※ 車輛支援의 경우, 製作에서 delivery 完了까지 6개월이상 소요.

0065

페灣 事態 關聯, 經濟支援 分野 檢討

1. 醫藥品 : 페니실린, 마취제, 수술용붕대, 가제등

   o 國內購入이 용이하고, 迅速한 輸送가능

   o 人道的 목적 지원 부각 효과

2. 담요

   o 規格上 선택의 어려움이 없고, 購入이 용이하며, 難民用으로 적합

     ※ '89년도 우간다 貧民救濟用 지원시 輸送料 포함 1장당 가격 16$

3. 衣類 : 잠바, 바지, 내의, 양말등

   o 我國의 輸出 主力 商品으로서 製造 및 購入이 용이하고 輸出市場개척 효과 기대

4. 쌀

   o 剩餘 政府米 해결에 기여

     - 政府米 在庫('89) : 125만t

     - 輸出 可能量 : 40만t

   o 考慮事項

     - 5,000t 이상 長期貸與 혹은 無償援助時, FAO 傘下 잉여 農産物 처리 소위원회 (CSD) 에 사전통보, 利害當事國과 협의를 거쳐야 함.

     - 無償援助時, 해당 國內價格 상당액을 糧穀 特別會計에 보전하여야 함

       · 國內價格 : 830불/t (國際價格: 350-400불/t)

     - 이집트, 요르단, 터키등 支援 對象 國家의 주식이 쌀이 아니며, 消費하는 쌀의 경우도 我國 쌀과는 다르게 sticky 하지 않음 (이집트는 쌀 輸出國)

     - 運送料

       · 國內運送 費用 (輸送費, 倉庫料, 하역료등) : '89 대 파키스탄 고추 지원시 3,000t의 고추 運送料 2억 2,600만원 소요

0066

5. 對外經濟協力基金 (EDCF) 支援

o 基金現況

- 基金規模('90): 2,017억원 ($2.6억)

- 實績 : 현재 약 2억$ 상당의 基金支援 旣決定 및 검토중

o 支援條件

그룹 분류	분	지원 조건	
		금리	상환기간(거치)
I	UN 분류 최빈국	2.5%	25년 (7년)
Ⅱ	'87 1인당 GNP 940불 이하	3.5%	20년 (5년)
Ⅲ	'87 1인당 GNP 1,940불 이하	4.2%	20년 (5년)
Ⅳ	'87 1인당 GNP 1,941불 이상	5.0%	20년 (5년)

※ 이집트는 그룹Ⅱ, 요르단은 그룹Ⅲ에 속함 (터키)

o 支援限度 : project당 1,500만불 이하

6. 參考事項

o 이집트, 요르단에 대한 90년도 無償援助 배정액 36만불 및 9만불 상금 未執行

- 금번 사태 관련 經濟支援과 연계 검토

- 요르단, 90.9.9 給水車 2대 지원요청 (약 13만불 상당)

※ 車輛支援의 경우, 製作에서 delivery 完了까지 6개월이상 소요.

0067

페르시아만 事態 關聯 支援方案

1990. 9.

外 務 部

0068

目 次

0069

1. 美側 支援 要請

ㅇ 브래디 美 財務長官 訪韓時 支援要請(9.7. 盧泰愚 大統領 禮訪時)

- 페르시아만 作戰 經費 및 對 이라크 制裁措置 參與로 經濟的 被害를 입고 있는 前線國家들(front-line states : 이집트, 터키 및 요르단)에 대한 我國의 支援 要請
- 美國의 中東 派兵으로 每月 約 30億弗 軍事經費 所要, 前線國家 援助에 今年中 35億弗, 來年中 70-80億弗 所要
- 美側은 向後 1年동안 總 230億弗이 所要될 것으로 豫想
- 我國이 北韓과의 緊張狀態 持續으로 어려움이 있겠으나 經濟的 發展 等을 감안하여 總 3.5億弗의 支援을 提供할 것을 要請

※ 要請 內容

(單位 : 億弗)

	'90	'91	計
多國籍軍 活動 支援	1.5	-	1.5
周邊國 經濟支援	1.0	1.0	2.0

※ 美側, 追後 駐韓 美大使를 통해 醫療團 派遣 檢討 要望

0070

2. 支援 決定時 考慮事項

(安保的 側面)

o 武力에 의한 領土紛爭 解決 企圖 不容

- 韓半島 有事時 國際社會의 支援 및 共同介入 先例 確立

o 韓.美 安保協力 關係 持續

- 美 言論 및 議會內 批判 與論 對備

(外交的 側面)

o 유엔 安保理 決議 遵守

o 韓國戰時 集團措置 受惠國으로서의 道義的 義務

o 我國의 伸張된 國威에 副應한 國際平和 維持 努力에 一翼 擔當

o 中東 地域內 周邊 被害國들과의 友好關係 增進

(經濟.通商 側面)

o 事態 早速 解決을 通한 安定的 原油 供給線 確保 및 原油需給 體系 正常化

o 對中東 建設等 經濟進出 再開 期待

0071

(國內 經濟 狀況)

ㅇ 今年度 貿易赤字等 經濟事情 惡化, 駐韓 美軍 防衛費 分擔

ㅇ 最近 大洪水로 인한 復舊費等 追加 財政 所要

3. 我國의 支援 內容

가. 總支援 規模

ㅇ 我國의 現 安保狀況 및 經濟 能力을 감안하여 總 2億 2千万弗을 支援함

(單位 : 億弗)

	韓 國	日 本	西 獨
多國籍軍 活動 支援	1.2	20	12.5
周邊國 經濟 支援	1	20	7.9
計	2.2	40(18배)	20.4(9배)

* 89年度 GNP 規模(億弗)

韓國 : 2,101, 日本 : 28,337(13.5배), 西獨 12,008(5.7배)

0072

나. 年度別 支援 內譯

o 90年度 支援 : 1億 7千万弗

- 多國籍軍 活動支援 : 9,500万弗

- 周邊國 經濟支援 : 7,500万弗

o 91年度 支援 : 5,000万弗

다. 詳細 支援 方法

o 多國籍軍 活動 支援 : 現金, 輸送 및 現物 支援으로 構成

o 周邊國 經濟支援 : 經協, 現物, 剩餘쌀 및 難民 輸送支援으로 構成

* 現金 支援보다는 國內 可用物資 및 서비스 提供 및 對外經濟 協力 基金(EDCF) 4,000万弗 活用 豫定

라. 90年度 財源計劃 및 執行

o 今年度 追更豫算에 反映 : 11月初 通過 豫想

o 周邊國 經濟支援中 經協基金 事業은 事業 選定 作業에 즉시 着手

o 剩餘쌀 支援을 위한 糧穀 基金事業도 早速 執行 推進

0073

4. 其他 要請 事項에 대한 檢討

o 美側의 醫療團 派遣 要請에 대해서는 肯定的으로 檢討함.

添附 資料 : 1. 發表文 (國.英文)

2. 報道 參考 資料

0074

페르시아만 事態關聯 經費分擔에 관한 發表文

ㅇ 政府는 最近 페르시아만 事態와 關聯한 多國籍軍의 經費를 分擔하고, 對이라크 經濟制裁 措置로 인하여 被害를 입고 있는 國家들에 대한 經濟的 支援을 해 달라는 友邦國들의 要請을 接受하고, 이 問題를 檢討해 왔음.

ㅇ 政府는 國際社會에서 武力에 의한 不法的인 侵略行爲가 容認되어서는 안된다는 國際法과 國際正義에 立脚하여 UN 安保理의 對이라크 制裁 決議를 尊重하고, 我國의 신장된 國威에 副應하여 國際 平和 維持 努力에 一翼을 擔當해야 한다는 判斷下에 페르시아만의 秩序 回復을 위한 國際的 努力을 支援키로 決定하였음.

ㅇ 同 決定을 함에 있어서, 總原油需要의 75%를 中東으로부터 導入하는 우리나라로서는 中東事態의 早速한 解決을 통한 原油의 自由로운 需給秩序 回復과 油價 安定이 貿易收支 및 物價安定 等 國益에 크게 도움이 된다는 점을 특히 考慮하였음.

ㅇ 政府는 多國籍軍의 經費로 航空機, 船舶等 輸送手段의 提供과 防毒面, 軍服 등의 現物 支援을 包含하여 1億2千万弗 範圍内에서 特別 支援키로 決定하였음.

0075

o 또한 今番 事態로 經濟的 被害를 입고 있는 周邊國(요르단, 터키, 이집트 等 3個 前線國家)에 대하여는 政府 保有米 30,000톤(1千万弗 相當)을 支援하고 開途國에 대한 長期 低利 借款인 對外 協力 基金(EDCF) 4千万弗 및 同 周邊國의 必要 現物等을 支援하며, 各國의 難民 輸送을 支援하기 위해 國際 移民機構(I.O.M.)에 대해서도 50万弗을 寄與할 豫定임. 이러한 支援은 總1億弗 範圍內에서 이루어질 것임.

o 이와 별도로 政府는 醫療團을 派遣할 것을 肯定的으로 檢討中이며, 具體的인 派遣 計劃은 關聯國과의 協議를 거쳐 決定할 것임.

o 이러한 支援規模 및 方法을 決定함에 있어서 政府는 他 友邦國들의 支援內容을 考慮하였으며, 現在의 어려운 國內 經濟狀況과 특히 最近 洪水 被害로 인한 財政負擔 等을 充分히 감안하였음.

o 政府는 페르시아만 事態 解決을 위한 國際的 努力이 結實을 맺어 이 地域의 平和와 安定이 早速 回復되기를 希望하는 바임.

0076

Statement
by
The Acting Foreign Minister Chong Ha Yoo
on
Costsharing in relation to Gulf Crisis

September 24, 1990

Ministry of Foreign Affairs

0077

o The Government of the Republic of Korea has received requests from friendly countries for favorable consideration to render financial and material support to multinational defense efforts and to countries whose economies are serionsly affected by economic sanctions against Iraq.

o Upholding the international law and justice by which armed aggression should not be tolerated in the international society, the Korean government supports the United Nations Security Council resolutions including the one imposing economic sanctions against Iraq. As a member of the international community, we believe that we should bear a fair share in the international efforts to maintain world peace and stability, thus helping restore the order in the Gulf area.

o In making this decision, the Korean government has taken into consideration the fact that an early settlement of the Middle East crisis would ensure the smooth supply of oil and stabilization of its price as well as help maintain peace and stability in that region. As Korea is dependent 75% of the need on oil imported from the Middle East, the stabilized oil supply system will undoubtedly help Korean economy in her balance of trade.

0078

o The Korean government decided to support multinational defense efforts by providing air and maritime transportation facilities and services including in-kind contributions such as military uniforms and gas masks within the range of equivalent to 120 million U.S. dollars.

o In addition to the above-mentioned support, the Korean government will provide the front-line states such as Jordan, Turkey and Egypt whose economies are seriously affected by the imposition of economic sanctions with 30,000 tons of rice equivalent to 10 million U.S. dollars. We will also use 40 million U.S. dollars from the existing Economic Development Cooperation fund which provides loans of long-term and low-interest for third world countries. Also some goods such as the necessaries of life will be provided to the three front-line states. And another half million U.S. dollars will be contributed to the International Organization on Migration to assist in the refugee transportation effort in Gulf region. These economic assistance program will be within the range of 100 million U.S. dollars.

o Additionally, the Korean government is now considering favorably the dispatch of a medical team and the detailed plans will be worked out in consultation with the countries concerned

0079

o In determining the scale and method of support, the Korean government has fully taken into consideration the supports given by other friendly countries, the present domestic economic difficulties and particularly an imminent national budgetary and financial burden which we face due to the recent flood.

o The Korean government sincerely hopes that peace and stability in that area will be restored through the concerted international efforts for a peaceful settlement of the Gulf crisis.

0080

參 考 資 料

1. 支援 決定時 考慮事項

가. 安保 問題

o 武力에 의한 領土紛爭의 解決이 容認될 경우 將來 韓半島 安保環境에 큰 危害가 될 것인바, 韓半島의 有事時 國際社會의 共同 介入을 通한 平和 回復 期待 및 韓半島에서 武力 挑發 可能性 豫防 効果

o 韓.美 安保協力 關係 持續

- 駐韓 美軍 維持, 防衛費 分擔 問題 關聯 美 議會 및 言論의 批判 輿論 可能性 對備

나. 經濟 通商 側面 考慮

o 我國은 89年度 46億 8,553万弗 相當의 原油를 導入하였음. 原油의 순조로운 需給도 重要하거니와 中東事態로 인하여 油價가 不安定하게 되는 境遇 우리의 經濟에 주는 打擊은 莫甚하기 때문에 今番 國際的 努力으로 原油의 需給과 價格體系가 正常化되는 境遇, 油價 1弗 引下時 年間 原油 導入額에서 3億 3,000万弗이 節減되므로 예컨대 油價가 10弗 安定되면 33億弗이 節減되어 我國은 支援額을 크게 上廻하는 利益을 보게 됨.

0081

- 今年 上半期 平均 油價가 1배럴당 16.5弗이었으나 9.17現在 30.89弗로 上昇
- 我國의 對中東 原油 依存度는 74%

o 페르시아만 事態의 早速한 解決은 我國의 安定된 原油 供給 確保는 물론 建設等 經濟進出에도 不可缺한 條件이며, 我國의 支援이 未洽할 境遇 "페"만 事態 解決後 對中東 進出에 否定的 影響 憂慮.

다. 外交的 考慮

o 6.26 事變時 유엔의 도움을 받은 我國으로서 對이라크 共同制裁에 관한 유엔 決意에 적극 참여해야 할 道義的 의무가 있으며, 이는 我國의 유엔 加入 政策과도 附合됨.

o 我國의 신장된 國威에 副應하여 國際 平和 維持 努力에 一翼 擔當
  - 我國의 支援이 微溫的일 境遇, 經濟的 利益만 追求한다는 國際的 非難 可能性 考慮

o 長期的인 觀點에서 사우디, UAE 等 中東 友邦國들과의 共同步調 및 周邊 被害國들과의 友好 關係 增進 圖謀

0082

라. 國內 經濟 狀況 考慮

o 今年度 貿易 赤字等 經濟事情 惡化, 駐韓 美軍 防衛費 分擔

o 특히 最近 大洪水로 約 6億弗 追加 財政 소요 等으로 過度한 支援 不可

2. 支援 內容의 特徵

가. 兵力 또는 艦艇 派遣等 直接的인 軍事支援 排除

나. 支援 形態를 現金 支援보다는 物資 및 써비스 中心으로 함으로써 我國 經濟에 도움이 되는 方向으로 하였으며, 이중 相當部分은 旣存 借款 基金을 活用하여 追加 財政 負擔을 줄였음.

添 附 : 1. 日本, 西獨과 我國의 國力 對比

2. 各國의 支援 現況

0083

(添　附)

1. 日本, 西獨과 我國의 國力 對比

	韓國	日本		西獨	
			韓國對比		韓國對比
支援 規模(億弗)	2	40	20 배	20.8	10 배
GNP (億弗)	2,101	28,337	13.5배	12,008	5.7 배
1인당 GNP(弗)	4,127 (88年)	23,317 (88年)	6 배	19,741 (88年)	5 배
交易 規模(億弗)	1,239	4,940	4 배	6,112	5 배
外換 保有(億弗)	152	851 (89.9)	5.5배	533 (88年)	3.5 배
經常 黑字(億弗)	51	568	11 배	555	11 배
中東原油導入 (億 배럴)	2.47	11.40		0.96	

0084

2. 各國의 支援 現況 (90.9.20)

國　家	經濟的 支援	軍事的 支援
日　本	40億弗 - 多國籍軍 20億	非戰鬪員 2,000名 派遣 檢討
西　獨	20.8億弗(33億 마르크) - 多國籍軍 10.1億弗 - 前線國家 8億弗 - EC 基金 2.6億弗	艦艇5隻 (掃海艇 4, 補給艦 1)
E C	20億弗 (分擔額 未合意)	
英　國	EC 次元 共同 步調	6,000名, 7隻, 40臺
불 란 서	〃	13,000名, 14隻, 100臺
이 태 리	1.45億弗(1次 算定額), 〃	艦艇5隻
벨 기 에	EC 次元 共同 步調	掃海艇2隻, 補給艦 1隻
네델란드	〃	프리깃艦 2隻
스 페 인	〃	艦艇3隻
폴 투 갈	〃	艦艇1隻
그 리 스	〃	艦艇1隻

0085

國 家	經濟的 支援	軍事的 支援
濠 洲	8百万弗(難民救護)	艦艇3隻, 醫療陣 20名
노르웨이	2,100万弗	
카 나 다	6,600万弗	艦艇3隻, 戰鬪機 中隊
G.C.C.國	사 우 디 : 60億弗 쿠웨이트 : 40億弗 U.A.E. : 20億弗	이집트 : 19,000名 모로코 : 1,200名 시리아 : 15,000名 GCC5국 : 10,000名
아시아國	臺 灣 : 2-3億弗	방글라데시 : 5,000名 파키스탄 : 5,000名 인도네시아 : (派兵 用意)

* 美國 : 兵力 155,000名, 艦艇 48隻, 航空機 150臺

蘇聯 : 戰艦 1隻, 對潛艦 1隻을 派遣하였으나 多國籍軍에는 不參

0086

공 란

공 란

공　　란

공 란

공 란

공 란

공 란

공 

(관계부처 회의자료)

페르시아만 事態 關聯 我國의 費用 分擔 問題

1990. 9. 14

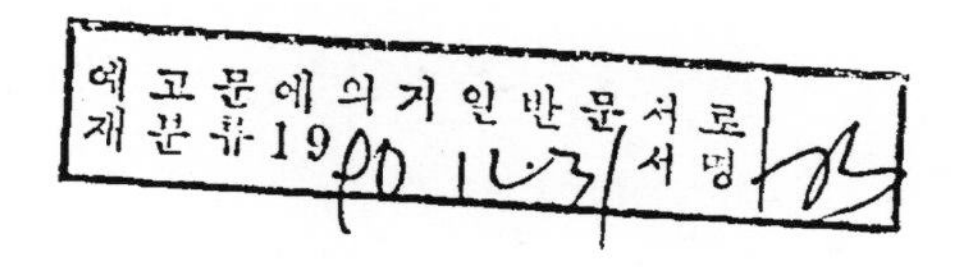
예고문에 의거 일반문서로 재분류 1990. 12. 31 서명

外 務 部

0095

目　次

0096

1. 美國의 要請 內容

가. 브래디 美 財務長官 訪韓時 狀況 說明 및 要請內容(9.7. 大統領 禮訪時)

o 今番 페르시아만 事態와 關聯 美側의 政治, 外交的 目的과 軍事 戰略을 說明

o 페만 軍事 作戰에 所要되는 經費 一部와 이라크에 대한 經濟 制裁 措置 參與로 經濟的 被害를 입고 있는 소위 前線國家(front-line states)(이집트, 터키 및 요르단 거명)에 대한 我國의 經濟 援助 提供 要請

- 브래디 特使는 美國의 中東 派兵으로 매월 30억불 정도의 經費가 所要되며, 또한 經濟的으로 심한 被害를 입고 있는 상기 國家들의 援助를 위해 금년중 35억불이 所要되고 내년중에는 70-80億弗이 所要될 것으로 豫想된다고 說明

2. 美國의 費用 分擔 要請에 대한 各國 反應

가. 美國의 費用 分擔 要請 對象國家

o Baker 國務長官 巡訪國 : 사우디, UAE, 이집트, 벨기에, 이태리, 서독

* 벨기에, 이태리, 서독은 9.13-9.15간 순방

o 브래디 長官 巡訪國 : 영국, 프랑스, 한국, 일본

나. 各國 主要 反應

西 獨

o 西獨은 基本的으로 美國의 支援 要請을 적극 受容한다는 방침

- 航空機 또는 船舶 等 運送 手段 支援 考慮
- 이집트, 요르단, 터키 등에 대한 經濟 援助 考慮

* 旣支援 內容 : 요르단에 20회 정도 긴급 物資 航空 輸送 支援

o 支援 規模는 總 5億 마르크(약3.1억불)로서, 封鎖 措置로 被害를 받은 國家에 대한 支援이 4億 마르크(약2.5억불), 美軍 技術 支援 費用이 1億 마르크(약6천만불)

* 겐셔 外務長官과 Baker 美 國務長官, 9.15. 본에서 會同, 協議 豫定

o 또한 西獨 政府는 HERMES(수출 보험 공사)를 통해 금번 대이라크 禁輸 措置로 손해를 본 輸出業者에 10억 마르크(약6.2억불) 損害 보전 豫定

日 本

o 日本 政府는 美國의 要請에 최대한 協力한다는 자세

- 8.29. 카이후 首相 "日本의 貢獻 方策" 發表

2

0098

* 貢獻 方策 主要 內容(8.29)

ㅇ 輸送 協力 :	民間 航空機, 船舶 傭船, 食糧.食水.醫藥品 等 非軍事的 物資 對象 輸送 協力
ㅇ 物資 協力 :	사막지대에서의 活動 支援을 위해 防暑 및 食水 確保를 위한 裝備 提供
ㅇ 醫療 協力 :	醫療團 緊急 派遣 體制 整備中 (우선 의사, 간호원 10명 파견, 최종 100명 파견 목표)
ㅇ 資金 協力 :	各國 航空機 賃借 및 船舶 傭船 費用 充當을 위한 資金 提供

- 8.30. 日本 각의, 多國籍軍 活動 支援 資金 10억불(약1,500억엔)을 今年度 豫備費에서 지출키로 결정

ㅇ 美側은 상기 10억불을 增額시키고, 총20억불 規模의 經濟 支援 提供을 要請

* 日本은 제반 國內 事情으로 상기 10억불 이외 금년도에 追加 負擔은 어렵다는 立場. 또한 10억불도 美國에 대한 直接 支援 대신 UN 및 IMF 등 國際機構를 동한 多國籍軍 支援 選好

EC 제국

ㅇ 아랍 國家(이집트, 터키, 요르단) 및 난민 수용 국가에 우선 緊急 援助 및 中長期 財政 支援 並行 計劃

ㅇ EC제국은 EC 外相 會議에서 軍事的인 支援을 제공하지 않고 약20억불의 緊急 經濟援助를 提供하기로 決定

- 91년말까지 90억불 상당 援助가 所要될 것으로 推算

0099

벨기에

o Baker 美 國務長官, 9.10. NATO 本部에서 會員國 外務長官들에게 地上軍의 걸프지역 增派와 經濟.軍事的 支援을 要請

o 벨기에 政府는 地上軍 派遣은 전혀 고려하지 않고, 兵站 支援 協調는 檢討할 수 있으며, 經濟 支援은 EC 차원에서 共同 補助를 취한다는 立場

英國

o Baker 美 國務長官은 9.5. 英國의 追加的인 軍事 協力과 被害國에 대한 1억불 상당 援助 要望

o 英國은 追加 派兵(地上軍 包含) 檢討中이며, 援助額은 EC 次元에서 協議中

사우디 아라비아

o 사우디, Baker 美 國務長官에게 美軍 駐屯 費用 및 소위 전선 국가 등의 經濟 援助 費用 負擔 約束

o 總支援 規模는 燃料.食水.輸送 등 포함, 月10억불 정도(年120억불선)

쿠웨이트 亡命 政府 및 U.A.E.

ㅇ 쿠웨이트 亡命 政府, 터키, 이집트, 요르단 등에 대한 약50억불의 經濟 援助 및 90억불 상당의 多國籍軍 防衛 費用 分擔 約束

ㅇ UAE도 50-60억불의 經費 支援 約束

* Baker 美 國務長官 巡訪時 GCC 國家들은 총300억불의 多國籍軍 費用 分擔 約束

3. 我國의 立場

ㅇ 傳統的인 韓.美 友好 關係를 감안, 美側의 要請을 積極的으로 受容

- 우리의 經濟와 安保 狀況에 비추어 能力 範圍內에서 可能한 支援을 할 것임. (대통령 언급 요지)

* 금번 大洪水로 인한 피해 복구 및 水災民 支援에 필요한 막대한 緊急 財政 需要 고려

ㅇ 我國의 支援 規模, 可用 財源 등에 관한 政府間 協調 體制 維持

- 關係 部處 局長級 實務 協議(9.14. 外務部)

- 關係 長官 會議 開催, 政府 立場 決定 必要性

* 旣 支援 措置 內容 : 총350만불 상당

ㅇ 貨物 輸送機 1대 賃借 3회 輸送 支援 : 약150만불 상당

ㅇ 貨物 輸送船 1척 傭船 1회 輸送 支援 : 약200만불 상당

4. 向後 措置 計劃(案)

가. 輸送 分野 支援 繼續

o 貨物 輸送機 支援

- 適正 範圍內에서 美側의 要請 있을시 수시 支援

o 貨物 船舶 支援

- 2-3회 追加

  * 1회 支援 所要 費用 : 약200만불

나. 剩餘 쌀 支援

o 대이라크 制裁 措置 參與로 被害를 입고 있는 國家에 대한 剩餘 쌀 支援 檢討

  * 政府米 在庫('89) : 125만t
  * 輸出 可能量 : 40만t

o 參考事項

- 5,000t 이상 長期貸與 혹은 無償援助時, FAO 산하 剩餘 農産物 처리 小委員會(CSD)에 사전 통보, 利害 당사국과 協議를 거쳐야 함.
- 無償援助時, 해당 국내 가격 상당액을 糧穀 特別 會計에 보전하여야 함.
  · 국내가격 : 830불/t (국제가격 : 350-400불/t)
- 이집트, 요르단, 터키 등 支援 대상 國家의 主食이 쌀이 아니며, 消費하는 쌀의 경우 我國 쌀과는 다르게 sticky하지 않음(이집트는 쌀 수출국)
- 國內運送 費用(運送費, 倉庫料, 하역료 등) : '89 대 파키스탄 고추 支援時 3,000t의 고추 운송료 2억 2,600만원 소요

6

0102

다. 이집트에 防毒面 提供

o 이집트와의 修交 基盤 造成에 기여 측면 및 소위 前線國家(front-line states)에 대한 支援 명분 감안

o 多國籍軍에 참여 활동중인 이집트군 5,000명에 대한 防毒面 5,000착 支援 推進(약70만불 상당, 수송비 포함)

5. 追加 檢討 事項

가. 필리핀인 送還을 위한 輸送 支援 問題 檢討

o 페르시아만 事態 이후 긴박한 상황에 처한 쿠웨이트 및 이라크 거주 필리핀인 本國 送還 手段 支援

o 國際 移民 機構(Int'l Organization for Migration : IOM), 각국에 대해 支援 要請中

- 50만불 支援 檢討

나. 요르단 유입 難民 問題 解決 協調

o 難民에 대한 救護金, 食料品, 醫藥品 등 提供 檢討 必要

- 요르단 政府, 9.8. 駐요르단 我國 大使에게 可能性 打診

o 難民 本國 輸送 手段 支援 問題

* 各國 支援 現況 (9.11. 현재)

英　　國 : 難民 輸送 및 救護 經費 支援(22백만불)
인　　도 : 비행기 11편(自國民 輸送)
E C 및 프랑스 : 비행기 5편
뉴질랜드 : 비행기 3편
이 태 리 : 쌀(1.75百万弗 상당) 40톤
美　　國 : 食糧 및 醫藥品(1百万弗 상당)
파키스탄 : 食糧 및 醫藥品(30톤, 자국민용) 비행기 1편(自國民 輸送)
화란 및 노르웨이 : 赤十字社 救護人力 支援

다. 醫療團 派遣 問題 檢討

라. 전선국가에 대한 對外 經濟協力基金(EDCF) 支援 可能性 檢討

o 基金 現況

- 基金 規模 : 2,017억원($2.6억)
- 實績 : 현재 약2억불 상당의 基金支援 旣決定 및 檢討中

o 支援 條件

그룹 분류	분　류	지 원 조 건	
		금리	상환기간(거치)
I	UN 분류 최빈국	2.5%	25년 (7년)
II	'87 1인당 GNP 940불 이하	3.5%	20년 (5년)
III	'87 1인당 GNP 1,940불 이하	4.2%	20년 (5년)
IV	'87 1인당 GNP 1,941불 이상	5.0%	20년 (5년)

* 이집트는 그룹 II, 요르단은 그룹 III에 속함

o 支援限度 : project 당 1,500만불 이하

* 參考事項

- 이집트, 요르단에 대한 90년도 無償援助 배정액 36만불 및 9만불 상금 未執行
  - 금번 事態 關聯 經濟 支援과 連繫 檢討
  - 요르단, 90.9.9. 給水車 2대 支援 要請(약13만불 상당)

    ※ 車輛 支援의 경우, 製作에서 delivery 完了까지 6개월 이상 소요

마. 사우디 駐屯 美軍 施設物 建築 등 建設 支援 問題 檢討

* 美側은 現代建設에 4억불 상당의 美軍 宿所 建設工事 要請(9.12. 국내 언론 보도)

添附 : 各國의 經濟力 比較

(添附)

各國의 經濟力 比較

(1988년 기준)

	韓 國	日 本	西 獨
GNP (억$)	1,728	28,589	12,882
1인당 GNP($)	4,127	23,317	19,741
인구 (만명)	4,000	12,325 (89.10)	6,108
교역규모(억$)	1,239 (89년)	4,940 (89년)	6,112 (89년)
무역흑자(억$)	9 (89년)	564 (89년)	716 (89년)
외환보유(억$)	152 (89년)	851 (89.9.1)	533 (88년)
외채(억$)	294 (89년)		

* 日本은 我國에 비해 총GNP에서 약16배, 1인당 GNP에서 약6배, 交易 規模에서 약4배임. 또한 國際收支의 경우 90 上半期中 日本 260억불 黑字, 我國은 90.8. 말 現在 약30억불 赤字 記錄

0106

회의자료 배포선

(제목 : 페르시아만 사태 관련 아국의 비용분담 문제)

16- 1	대 책 반 장	
16- 2	청 와 대	
16- 3	국 무 총 리 실	
16- 4	안 기 부	
16- 5	경 제 기 획 원(대외 조정실)	
16- 6	경 제 기 획 원(예 산 실)	
16- 7	재 무 부	
16- 8	국 방 부	
16- 9	농 수 산 부	
16-10	상 공 부	
16-11	건 설 부	
16-12	교 동 부	
16-13	미 주 국 장	
16-14	중 동 아 국 장	
16-15	국제 경제 국장	
16-16	영사 교민 국장	

0107

좌 석 배 치 도

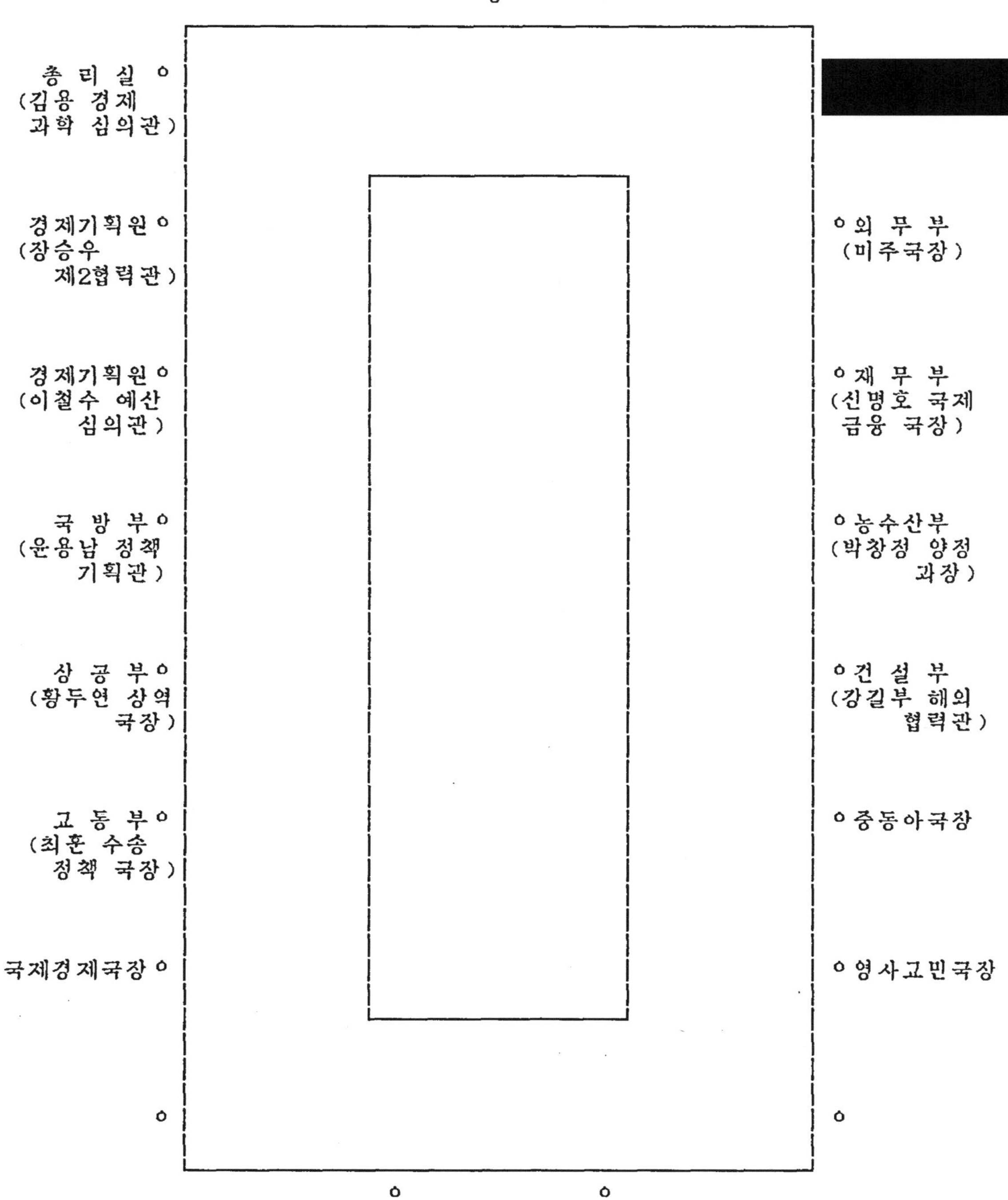

입 구
대책반장
총 리 실
(김용 경제 과학 심의관)
경제기획원
(장승우 제2협력관)
경제기획원
(이철수 예산 심의관)
국 방 부
(윤용남 정책 기획관)
상 공 부
(황두연 상역 국장)
교 동 부
(최훈 수송 정책 국장)
국제경제국장
외 무 부
(미주국장)
재 무 부
(신명호 국제 금융 국장)
농수산부
(박창정 양정 과장)
건 설 부
(강길부 해외 협력관)
중동아국장
영사교민국장

0108

148

공보관실
90. 9. 14.

외무부장관 정례 기자간담회

1. 일시 및 장소 : 1990.9.14(금), 10:00-10:30, 외무부 회의실

2. 내 용 :

가. 장관 언급내용

9월들어 처음으로 여러분과 이런 자리를 갖게되어 기쁘게 생각함. 그동안 국내외의 많은 일들로 바쁘신 중에도 적극 협조하여 주신데 감사드림. 또 새로이 몇분이 외무부를 출입하시게 된 것을 환영함.

그간 국내외의 관심이 집중되었던 남.북 고위급 회담이 순조롭게 개최되고, 또 온 국민이 다 같이 걱정하고 있는 수재도 엄청난 피해가 있었음에도 불구하고 대부분이 염려하던 상태로까지는 안가고 이제는 빠른 속도로 회복되고 있어 매우 다행스럽게 생각함.

(1) 중동 사태 관련 교민 철수 현황

지난달초 페르시아만 사태가 발생한후 정부로서는 많은 노력을 했음. 특히 현지에 거주하고 있던 교민들의 철수가 대부분 순조롭게 이루어질 수 있어 다행이었음.

쿠웨이트 거주 교민의 철수는 사실상 완료된 상태이며, 이라크 교민 경우에도 현재 총 잔류 교민수는 210여명으로 크게 줄어들었음. 앞으로도 현지 공관과 진출 업체간에 긴밀한 협조를 통하여 가능한 많은 인원이 안전하게 철수할 수 있도록 계속 노력할 것임.

(2) 9월중 외교 일정

9월중에는 외빈이 많아 외무부는 더욱 바쁘게 되었음.
"마하티르" 말레이시아 수상이 3박4일간의 공식 일정을
마치고 오늘 아침 떠나 공항에 나가 전송하였는데 이번
방한 성과에 대해 매우 만족스럽다고 말하였음. 또
지난주에는 "콜린즈" 아일랜드 외상도 다녀갔음.

다음주에는 "모이" 케냐 대통령이 공식 방한 예정이고,
과거 수상도 역임한 적이 있는 "클라크" 카나다 외상도
우리나라를 다녀갈 예정으로 있음.

다음주 말에는 제45차 유엔 총회 참석을 위해 본인과 대표단
일행이 10여일간 예정으로 뉴욕에 다녀올 계획으로 있음.

이러한 큰 일들을 앞두고 우리가 큰 외교적 성과를 걷울 수
있도록 언론에서 더욱 많이 협조하여 주시기 바람.

(3) 유엔 가입 문제

지난주 서울에서 열렸던 남.북 고위급 회담과 관련, 국민들의
관심이 유엔 가입 문제에 많이 쏠려 있는 것으로 알고있음.
이 기회에 우리의 입장을 다시 한번 말씀드리는 것이 도움이
될 것으로 생각됨.

우리가 유엔에 가입하려고 계속 노력하고 있는데, 우리의
유엔 가입은 분단국가로서 통일만을 위한 차원은 아닌
것임. 세계의 중심 국가로 부상한 우리나라로서는 국제사회
의 당당한 일원으로서 세계에서 유일한 보편적 성격의 기구인
유엔에 가입하여 세계 평화의 증진과 인류복지의 향상에 나름
대로 기여하겠다는데도 커다란 목적이 있는 것임. 우리 국민
들도 모두 같은 뜻을 갖고 있다고 믿고있음.

2 0110

유엔은 발족당시 회원국이 50여개국에 불과하였으나, 이제는 160여개의 회원국을 거느린 세계의 중심기구로 성장하였음. 그 뜻에 반하여 가입을 못하고 있는 나라는 우리 하나뿐임.

북한은 통일전 남.북한의 유엔 동시 가입은 민족 분단을 영구화, 고착화하는 것이라고 주장하나, 독립이후 42년이 지났는데도 유엔에 가입하지 않은 남.북한에서는 통일이 촉진되지 않았는데, 오히려 일찌기 유엔에 같이 들어간 남.북 예멘은 이미 통일이 되었고, 동.서독은 10.3 통일을 이룩하는 단계에까지 도달하였음. 유엔에 가입하면 통일이 되고 가입하지 않으면 통일이 안되고 있는 이러한 사실을 어떻게 설명할 수 있겠는가 ? 또 북한은 이것을 어떻게 설명할 수 있을런지 의문임.

실제로도 우리가 유엔에 가입하겠다고 이야기하기에 앞서, 다른 여러 나라들이 한국은 마땅이 유엔의 정회원국이 되어 국제사회에 적극 이바지하여야 한다고 주장하고 있음. 우리가 가입하지 않고 있는 것이 불합리하고, 부자연스러우며, 비현실적이라고 많은 나라들이 스스로 이야기하고 있으며, 이러한 국제적 분위기가 금번 제45차 총회에서도 그대로 반영될 것으로 생각함.

더우기 최근 페르시아만 사태 해결을 위한 노력에서 보듯이 유엔의 분쟁 해결 역할이 더욱 강화되어야 한다는 국제적 분위기가 고조되고 있음. 따라서 이러한 국제적인 분위기와 또 시기적으로 보더라도 남.북한이 당연히 유엔에 가입하여야 한다는 우리의 기본 입장에는 변화가 없으며, 오히려 그 필요성이 더 절실하게 느껴지고 있음.

지난번 고위급 회담에서 북한이 유엔 가입 문제가 중요하다고 판단, 이를 강조하였고, 종전의 통일전까지 절대 가입 불가 주장에서 통일전이라도 단일의석하의 가입안을 제안하였음. 우리는 북한측 제안이 비현실적이고, 불합리하다는 점을 설명하고, 남.북한이 함께 들어가 유엔의 활동에 공동 참여하고, 통일 방안도 논의할 수 있으며, 언젠가 통일이 되면 유엔에서도 남.북한이 자연스럽게 합쳐지는 것임을 설명하였음.

그러나 북한측은 단일의석 가입안을 거듭 주장하였으며, 우리측이 그렇다면 단일의석 가입안의 구체적 방안을 설명하라고 요구하자, 별도 회담을 개최하여 논의하자고 하여 우리가 이에 동의한 것임. 따라서 어제 판문점 접촉에서 합의한대로 9.18 회의에서 북한측 이야기를 들어보고, 이를 검토해 보겠으며, 이번 접촉을 우리 생각을 북한측에 끈질기게 설득해 보는 기회로도 활용하겠음.

유엔 가입 문제는 남.북한간의 문제임에 앞서 우리와 유엔과의 문제이므로, 계속 유엔과도 이에 관해 접촉해 나갈 것임.

아시다시피 유엔 회원국이 되려면 안보리의 건의가 필요하며, 또 이를 위해서는 중국과 소련이 거부권을 행사하지 않는 것이 긴요함. 중국과 소련 양국은 항상 남.북한간에 협의를 먼저 갖도록 종용하고 있음. 따라서 유엔 가입 문제에 관한 남.북간의 협의는 앞으로 중국과 소련으로 하여금 거부권을 사용하지 않도록 하는데도 유용하게 작용할 것으로 기대함.

거듭 말씀드리지만 오는 9.18 남.북간 별도 접촉에서 북한의 단일의석 가입안에 관한 구체적 내용을 듣고, 이를 논의, 검토하는 기회를 갖게 될 것이며, 이 기회에 우리측 입장도 계속 설득하겠음.

(4) 제45차 유엔 총회 참석 일정

본인의 금년도 총회 참석 일정중에 한.소 외상회담이 개최되느냐 하는데 가장 많은 관심이 집중되고 있는 것 같음. 지난주 블라디보스톡에서 있었던 국제 학술회의에서 공로명 주소영사처장이 "셰바르드나제" 외상과 만나, 한.소 외상회담 개최 문제를 협의한 결과, 이번 유엔 총회 기간중 뉴욕에서 갖도록 합의하였음.

회담 개최 일자, 구체적인 협의 의제등에 관해서는 현재 모스코의 영사처와 뉴욕의 주유엔대표부등을 통하여 계속 협의하고 있음. 그 진전 사항을 보아가며 여러분께 좀 더 구체적 내용을 말씀드리겠음.

그 이외에 미국, 일본등 전통적인 우방국가, 우리의 새로운 우방이 된 동구국가, 또 최근 우리의 외교가 많은 진전을 보이고 있는 비동맹국가 외상들과도 폭넓게 접촉하여, 해당 국가와의 현안 문제는 물론 우리가 관심을 갖고 있는 국제 정세에 관하여도 논의할 예정으로 있음.

9.24에는 뉴욕에 본부를 두고 있는 아시아 협회의 오찬 모임에 참석하여 우리의 외교 현실에 관한 연설도 계획하고 있음.

이상 준비한 말씀을 드리고, 여러분의 질문을 받도록 하겠음.

나. 질의 응답

문 : 9.27. 일본의 "나까야마" 외상과 인도네시아의 "알리타스" 외상이 공동으로 주최하는 아.태지역 외상들의 만찬 회동이 있다고 하는데, 확정된 것인가 ? (연합통신 구범회 기자)

답 : 싱가폴에서 개최된 제2차 아.태 각료회의 (APEC) 참석시 "나까야마" 일본 외상이 그러한 모임을 준비중이라고 하면서 본인도 참석하여 줄 것을 요청하여 왔음. 이에 대해 원칙적으로 참석하겠다는 의사를 표명하였음.

문 : 동 만찬에 중국과 소련 외상도 참석하게 되어 있는가 ? (연합통신 구범회 기자)

답 : 중국 외상은 참석하는 것이 확실시 된다고 듣고 있으며, 소련 외상의 참석 여부는 아직 분명치 않은 것으로 알고 있음.

문 : 그렇다면 그 자리에서 한.중 외상간의 비공식 회동이 열릴 가능성이 있는가 ?(연합통신 구범회 기자)

답 : 우리 북방외교의 나머지 고지는 중.소 양국과의 수교 문제 이며, 이들 양국과의 관계 개선에 외교적인 역점을 두고 있음. 이를 위해 본인은 이미 소련뿐아니라 중국 외상과 만날 용의가 있음을 거듭 밝히고 있음. 그러나 중국측으로 부터 아직 이에 대한 구체적인 반응이 없음. 9.27. 만찬이 열리면 자연 스럽게 인사를 나눌 기회는 있을 것으로 봄.

문 : 북한이 단일의석하 유엔 가입안의 구체적 방안을 밝히지 못하고, 중국과 소련이 거부권을 행사하지 않는다고 할 경우에는 금년 총회 기간중에라도 가입안을 제출할 가능성이 있는 것인가 ?(경향신문 송영승 기자)

답 : 일단은 북한측과 좀 더 구체적으로 논의해 보자고 합의한 이상, 북한측과 이야기를 해보고 난 후에 검토하는 것이 적절하다고 생각함.

문 : 홍성철 통일원장관은 남.북 별도 접촉 합의 사실에 비추어 우리의 유엔 가입을 일단 보류한 것으로 보아도 좋다고 말하였는데, 그 이후 외무부의 관계관들은 다른 입장을 보이고 있는 것 같은데 ?(한국일보 정광철 기자)

답 : 아시다시피 아직까지 우리가 유엔 가입 신청을 내겠다고 발표한 적이없음. 또 북한측의 단일의석 가입안에 관하여 구체적인 내용을 들어보겠다고 한 상황하에서, 우리의 유엔 가입 문제를 보류하였다 또는 유보하였다라고 해석하는 것 보다는, 북한측이 구체적 방안을 설명하겠다고 했기 때문에 먼저 북한측 이야기를 들어 보겠다는 것으로 이해하는 것이 적절함.

6

0114

북한측의 이야기를 듣기로 했으니 그때까지는 기다려 보겠
다는 것이며, 그러한 전제하에서 홍장관께서 유보라고 말씀
하신 것으로 이해하고 있음.

문 : 이번 한.소 외상회담에서 양국간 수교 문제가 매듭 지어
질 것으로 보도 되었는데 ?(한겨레신문 오태규 기자)

답 : 조금전 말씀드렸듯이, 개최 일자와 구체적 의제에 관하여
아직도 협의가 진행중인데, 이번 회담에서 수교가 매듭지어
질 것이라고 예상하는 것은 성급한 것으로 적절치 못함.

이러한 보도는 우리의 언론의 희망과 또 우리 정부가 한.소
수교를 강하게 희망하고 있다는 뜻에서 나온 것으로 이해하고
있음. 물론 미수교국 외상이 만나게 되면 수교 문제는
당연히 논의될 것임. 그러나 이번 회담에서 수교 문제를 매듭
짓게 될 것이라는 것은 성급한 판단임.

문 : 최근 "브래디" 미대통령 특사가 방한하여 우리 정부에
페르시아만 사태와 관련 경비 분담을 촉구하였고, 이에따라
한.미간에 협의가 진행중인 것으로 듣고 있는데, 현재 교섭
상황은 어떤가 ? 또 우리 정부의 방침은 무엇인가 ?
(조선일보 김승영 기자)

답 : "브래디" 특사가 다녀간 직후 청와대 대변인이 설명한 것과
같이, 미국은 자국의 병력을 현지에 대규모로 주둔시키게
되었고, 상당 규모의 함대도 집결시키게 되어 이에 따른 경비
부담이 크기때문에, 무력 침략을 응징한다는 측면과 원유의
원활한 공급 및 가격 안정 측면에서, 특히 중동산 원유에
크게 의존하고 있는 국가들이 가능한 범위내에서 군사비를
분담하여 줄 것을 기대하고 있다고 설명하였음.

또 이라크에 대한 경제 제재 조치로 인접국인 터키, 요르단, 이집트가 많은 피해를 받고 있는데 이들 국가에 대하여 경제 협력 또는 원조등의 협조도 요청하였음.

이러한 미측 설명에 대하여, 노태우 대통령께서는 국제적인 조치를 취하는 것은 필요하다고 생각하며, 우리도 가능한 범위내에서 협조하겠다는 원칙적인 입장을 밝히신후, 그러나 우리 자신도 남.북 분단이라는 특수한 상황에서 우리의 안보 부담이 이미 상당히 크며, 또 이번 사태로 인하여 우리의 경제에도 추가적인 어려움이 초래된 상황임을 설명하셨음.

현재 정부내 관련 부처간 구체적으로 가능한 지원 방안에 관하여 협의중에 있으나, 아직 결정된 것은 없음.

더우기 최근 예기치 못했던 홍수 사태가 일어나, 그 복구에 막대한 재정부담이 추가로 소요되게 되었기 때문에, 우리의 지원 방안 검토에는 좀 더 시간이 필요하게 되었음.

문 : "브래디" 특사 방한시 경비 분담 요청은 그 전에 있었던 군수품등의 지원 요청과는 별개의 것인가 ? (한겨레신문 오태규 기자)

답 : 관련된 요청을 모두 합쳐 종합적으로 검토중에 있음.

문 : 이번 뉴욕에서 개최될 한.소 외상회담은 공식인가, 비공식인가 ? (연합통신 구범회 기자)

답 : 이 경우 공식이냐 비공식이냐를 어떤 기준으로 분류하여야 할 지 모르겠으나, 양국 외상이 떳떳이 만나는 것이기 때문에 공식으로 볼 수 있을 것임. 다만 회담 내용을 전부 공개하는 것은 어려울 것임.

8

0116

문 : 김일성 북한 주석의 중국 방문 사실에 관해 외무부에서도 파악된 것이 있는가 ? (경향신문 송영승 기자)

답 : 우리 외교망을 통해 파악중에 있음. 원래 비밀 접촉은 공개하지 않는 것이므로, 사실 여부를 정확하게 파악하는데 어려움이 있을 것임. 북한도 북경에 있는 대사관을 통해 일단 부인하였다는 외신 보도를 보았음.

또 오늘 들어온 외신에는 김일성이 심양뿐아니라 북경으로 까지 갔다고 하는데, 북한과 제3국간에 있는 일에 관해 우리 외무부가 이렇다 저렇다 말하는 것은 적절치 않다고 봄.

문 : 일본의 "가네마루" 전부수상의 북한 방문 일정이 확정되었고, 또 일.북한간 연락사무소를 교환 설치키로 합의되었다고 보도 되었는데, 일본 외무성에서 우리 정부에 그러한 사실을 통보 해 왔는지 ? 또 우리 정부에서 탐지한 결과, 그것이 사실 인지 ? (MBC 최명길 기자)

답 : 일본 신문이 앞질러 보도한 것으로 봄. 이원경 주일대사가 "가네마루" 전부총리와 외무성 고위 관계관들을 접촉, 들은 바에 의하면 우리 언론에서 염려하는 것처럼 일.북한 관계에 급속한 진전은 없는 것으로 파악되고 있음.

우리 정부는 일.북한 관계 개선 문제에 관하여 7.7선언에 따라 북한이 국제사회의 책임있는 일원으로 나올 수 있도록 필요하다면 도와주겠다는 측면에서 일본 정부와 협조하여 왔음.

그러나 또 다른 측면은 북한이 적화통일 정책을 포기하지 않고 있고, 국가 테러 행위 중단을 명백히 선언하지도 않고, 또 자신이 가입한 국제 협약에 따른 의무를 준수하는 차원에서 IAEA 핵안전협정을 체결하지도 않고 있는데, 일본이 북한과 접촉하는 과정에서 이러한 점을 북한에 충분히 설득하도록 요청하고 있음.

북한은 아직도 한반도에서의 두개의 실체를 인정하는 것을 거부하고 있으며, 이러한 차원에서 일본과의 관계 증진, 특히 정부간의 접촉과 연락사무소 교환등은 분단 고착화의 이유로 거부하고 있는 것으로 알고있음. 일.북한 관계에 있어서는 일본보다 북한이 더 소극적인 실정임.
연락사무소 교환 설치는 일.북한간에 아직 합의된 단계는 아닌 것으로 알고있음.

문 : 미국의 페르시아만 사태 관련 경비 분담 요청과 관련, 정부 내부의 협의가 종결되지 않은 상태에서 수해가 발생한 것이 우리의 지원 규모에 영향을 미칠 것인가 ? (MBC 최명길 기자)

답 : 정부내의 협의 과정에서 아직 우리의 지원 규모와 수해 문제를 연계하지는 않고 있음.

그러나 예기치 않던 수해로 정부가 3천억원 규모(약 4억불 정도)의 재정 부담을 추가로 안게 되었는데, 이러한 것이 앞으로 우리의 지원 규모를 결정하는데 필연적으로 영향을 주지 않을까 하고 개인적으로 생각하고 있음. 끝.

이라크. 쿠웨이트 事態 展望

(非公式 見解)

1990. 9. 21

対　　策　　班

0119

綜合的 展望

1. 美國 中心의 反이라크 勢力은 可及的 美 中間選擧 以前에 쿠웨이트에서의 撤軍을 實現시키는데 全力을 다할것임. 그 方法으로서 美國은 美.蘇和戰 協調 體制를 構築하여 美國의 막강한 軍事力과 蘇聯의 對이라크 政治的 壓力을 主武器로 삼을 것으로 觀測됨.

2. 만약 이러한 努力이 成功치 못할경우, UN安保理의 軍事 制裁措置 決議를 採擇, 現在의 美.英.佛軍에 蘇聯軍이 直接 加擔하여 壓倒的 軍事的 優位를 背景으로 이라크의 쿠웨이트 撤軍을 強要할 것임.

3. 今年末, 來年初까지 撤軍이 實現되지 않을 경우에는 [후세인]에 屈服하느냐 아니면 戰爭이냐의 選擇을 強要당하여 美.蘇를 包含한 軍事作戰에 의한 이라크 軍의 쿠웨이트 逐出을 實現시키려 할 것임.

4. 쿠웨이트에서의 撤軍이 91年에 가서도 實現되지 않을 경우, 美國中心의 反이라크 勢力은 瓦解, 分裂되고 世界經濟는 일대 混亂이 惹起되는 事態가 豫見됨.

1

0120

I. 短期的 展望(11. 6. 美 中間選挙時까지)

I-1 美國은 美. 英. 佛 中心의 多國籍軍의 막강한 軍事力을 背景으로 軍事的 壓力을 加重하는 한편, 蘇聯은 幕後에서 對이라크 政治的 壓力을 加重 함으로써 11月6日 中間選擧 以前에 이라크로 하여금 쿠웨이트로부터 自進 撤收토록 最大의 努力을 기울일 것임.

I-2 이라크는 名分있는 撤軍을 위해 各方으로 協商提議와 持久戰으로 現狀固着化를 試圖할 것이며, 美國側은 安保理가 決議한 쿠웨이트 원상복구 條件을 양보하지 않을 것으로 보이나, 自進 撤軍時 美軍等 域外 軍事力이 除外된 아랍聯合軍에 의한 쿠웨이트 進駐 條件等 最小限의 撤軍 名分을 주어 妥結함으로써 11.6 以前 쿠웨이트 撤軍이 實現될 可能性이 있음.

I-3 이라크가 11月6日까지 自進 撤收하지 않을 경우에 美國側은 軍事的, 政治的, 外交的, 經濟的 壓力을 主 内容으로 한 戰略에서, 本格的이며 強力한 軍事的 解決 方案을 準備하는 戰略으로 轉換할 것임.

1. 美國의 役割과 責任分擔

ㅇ 美國은 脫冷戰時代의 最强의 超强大國으로 浮上하고 蘇聯은 美國 다음의 强大國으로 轉落하여 美.蘇가 協力하는 partnership이 形成됨.

ㅇ 그러나 美國이 世界를 主導하는데는 다음 두가지 制約이 있음.

첫째로, 蘇聯의 軍事的,政治的,外交的面에서 協力 없이는 世界平和 維持를 單獨으로 이끌어 나갈 充分한 힘이 不足하고,
둘째로, 蘇聯의 軍事的,政治的 協力이 있더라도 局地的 紛爭과 危機를 大規模 長期間 管理, 遂行할 經濟的,財政的 能力에 限界가 있음.

ㅇ 美國은 脫冷戰時代의 첫번째 test case로 나타난 이라크의 [후세인]을 應懲하지 못할경우 새 時代의 主導的 地位와 그 秩序 維持 能力을 喪失할 것이고, 單獨으로 應懲하는데는 政治的,財政的 限界에 부딪혀 蘇聯의 政治的,軍事的 協力과 함께, 西歐.日本等의 財政的 同參 그리고 UN을 통한 平和 維持 軍事行動의 名分을 찾고 있음.

3

0122

2. 美.蘇의 和戰 兩面 協力

ㅇ 9.9 헬싱키 項上會談에서 적어도 쿠웨이트에서의 撤收를 實現키 위한 美國의 軍事的 努力과 이를 뒷받침하는 蘇聯의 政治的 壓力에 관한 蘇聯의 協力과 이에 대한 經濟.財政的 補償等에 관한 具體的인 協議가 이루어 졌다고 볼수있음. 이를 뒷받침하는 事實로서는 9.17 蘇聯.사우디 外交關係 再開와 蘇聯에 의한 美國 軍事裝備 輸送用 大型船舶 賃貸合意, 시리아軍 輸送을 위한 便宜提供 合意와 사우디 外相의 蘇聯軍 사우디 駐屯 歡迎 發言等을 들수 있음. 특히 사우디는 蘇聯과 修交를 名目으로 美國의 周旋下에 막대한 資金을 蘇聯의 對이라크 壓力의 代價로 蘇聯에 提供했을 것으로 推定됨.

3. 英國.佛蘭西 包含, 西歐國의 積極的 軍事 同參 背景

ㅇ 歷史的으로는 英國과 佛蘭西가 1次大戰後 中東 分割에 큰 몫을 차지했던 연고를 갖고, 금번 美國이 蘇聯과 協力, 이라크의 應懲以後 中東 판도의 再編成에 積極的으로 參與하려 하고 있음.

ㅇ 英國과 더불어 특히 傳統的으로 앵글로 색슨이 主導하는 움직임에는 종종 反對하는 立場을 취해온 佛蘭西

까지도 美國 主導의 이라크軍 쿠웨이트 撤收 作戰에 대대적인 軍事的 同參을 한 主要理由는 侵略者 응징과 石油의 安定供給等 大義名分外에도 美國 主導와 蘇聯의 協力으로 進行中인 금번 作戰이 반드시 成功하리라는 情報와 確信에 起因한 것으로 볼수 있음.

5

0124

II. 中期的 展望(90年末 91年初까지)

II-1. 自進 撤軍이 短期間内 實現되지 않을시 美側은 UN 安保理의 對이라크 軍事 制裁措置 決議 (유엔軍 編成)를 通過시켜 蘇聯의 軍事的 加擔을 包含한 多數 會員國의 積極的 同參을 確保하여 自進 撤軍치 않으면 軍事作戰을 強行하겠다는 確固한 意志로 軍事的 壓力을 加重시킬 것임.

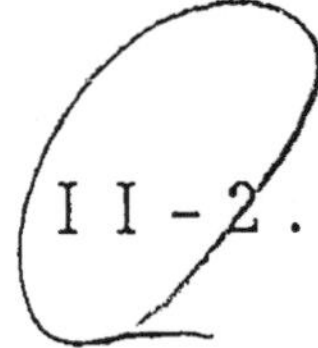

II-2. 이러한 美側의 軍事的 背水陣에 대하여 이라크側은 撤軍의 名分을 찾는 協商을 試圖할 것이나, 美側은 [후세인]의 退路를 열어주는 最小限의 名分을 살리는 선에서 撤軍을 貫徹할 可能性이 큼.

II-3. 만약 이라크側이 撤軍치 않고 持久戰으로 임할경우, 美側은 美國内 및 世界 輿論의 分裂, 對이라크 戰列의 瓦解 및 世界經濟의 混亂을 防止하기 위하여 軍事的 行動을 하느냐는 選擇을 強要받게 될 것임.

1. [후세인]의 이라크 - 그 野心과 戰略

- 이라크는 1980 당시 20萬으로 始作, 이.이戰 遂行過程에서 100萬大軍으로 成長, 아랍圈에서는 牽制勢力이 없는 最強者로 登場, GCC國家들에 대한 進出 야심을 준비해감.

- 이.이戰에서 美.蘇.西歐 및 사우디,이집트等 아랍穩健國이 모두 이라크의 友邦 내지 支援國이였던 事實을 考慮하고, 脫冷戰時代의 美.蘇 兩超強大國의 世界 指導能力을 試驗해 볼만하다고 判斷하고, 특히 蘇聯이 軍事的,政治的으로나 UN 安保理等에서 美國에 同調치 않을수 있다고 判斷했을 可能性도 있음.

- 또 아랍圈의 首長制 國家들에 對抗, 아랍 民衆의 聖戰戰略으로 汎아랍主義를 고취하여 아랍圈內 多數 國家의 支持를 期待함.

- [후세인]은 쿠웨이트 併合으로 페灣 石油의 40%를 支配하여 世界 에너지에의 影響力 追求 野心 實現의 절호의 機會로 判斷, 쿠웨이트를 電擊 占領, 併合을 斷行함.

7

0126

○ 또한 傳統的 아랍戰爭의 人質 戰略을 動員, 西歐人等 多數 外國人 人質로서 美國等 西歐의 輿論分裂로 武力介入의 意志弱化와 軍事的 相互牽制, 교착을 노림.

2. 美國의 介入能力의 時間的 限界

○ 방대한 戰費와 支援 友邦國 確保費用은 사우디, 쿠웨이트等 域內國家와 日本. 西歐等이 負擔하나, 美國의 戰費調達 能力에도 時間的 物量的 限界가 곧 다가옴.

○ 美國 輿論은 11月 中間選擧를 前後하여 美軍派兵의 當爲性을 可視的 成果와 비교하여 判斷할 것이고 可視的 成果와 具體的 期待性이 없는 長期的 派兵에는 X-mas를 前後하여 곧 孤立主義 性向이 나타날 것임.

○ 또한 世界 責任分擔國의 輿論과 立場도 限時的인 責任分擔과 明確한 勝算에 대한 期待를 걸고 있으므로 美國의 決斷力있는 行動이 어느시점까지 없을시는 輿論의 分裂이 나타나기 시작할 것임.

III. 長期的 展望

III-1 戰爭 勃發時

이라크軍의 쿠웨이트에서의 自進 撤軍이 이루어지지 않아 美國側이 이라크를 攻擊하여 戰爭이 勃發할 경우,

- 이라크는 막대한 軍事的, 經濟的 被害와 人命의 損失을 입고 [후세인] 政權은 무너지고 窮極的으로 敗北하여 相當期間 回復이 不能하며, 域內 이란. 이집트. 사우디. 시리아와 對等한 國家中의 하나로 轉落할 것임.

- 美國側은 窮極的으로 勝利하여 이라크의 쿠웨이트에서의 撤軍等 政策目標를 實現시킬 것이나, 막대한 人命損失, 西方人質의 犧牲等 被害를 입게될 것임.

- 이라크는 戰爭발발과 同時 域內 敵對國家들을 攻擊하고 油田을 破壞하고자 할 것이며, 一部 이라크 支持國家들과 團體들의 反이라크 勢力 攻擊도 豫想되며, 原油供給 不足으로 인한 油價上昇이 加速化되어 世界經濟는 短期的으로 混亂에 빠질 것이며 相當期間 經過後 長期的으로는 점차 安定을 되찾을 것임.

9

0128

III-2. 美側이 軍事的 選擇을 斷行치 못할경우,

- 美國.西方에서 意見分裂과 동요로 결국은 이라크側의 쿠웨이트 併合을 기정사실로 容認하고, 점차 強化되는 이라크의 發言權과 要求에 속수 무책이 될 것임.

- 이라크의 집요한 抵抗이 成功하여 아랍 穩健國이 對이라크 유화와 讓步政策을 취할 것임.

- 美國內 및 世界 輿論이 美 指導力 不信, 美國의 世界指導力 喪失로 世界 秩序의 混亂時代 開幕

- 高油價時代 持續으로 世界經濟 混亂, 不況 또는 準恐慌 狀態 到來

III-3. 이라크의 쿠웨이트 撤軍時 그이후

- 人質救出과 유엔 制裁 決議 解除

- [후세인] 및 그의 政府 改編
  - 內部的 要因과 外的 壓力으로 이라크의 大幅 改編 豫想

- 이라크의 軍事力 削減

- 이. 이戰 開始當時 20萬보다는 많으나 現 100萬 보다는 大幅 削減된 선으로 兵力 縮小

o 아랍地域 安保體制 形成
- 이라크에 對抗하는 아랍聯合軍과 美軍等 域外軍으로 編成, 美軍等의 駐屯名分 附與
- 軍事的 體制에 相應하는 地域的 政治機構 形成 可能性, 美國을 비롯 蘇. 英. 佛等의 發言權 附與

11

0130

Ⅳ. 各国의 視角과 立場

1. 美 國

- 脫冷戰時代 主導的 地位 確保

- 既存 國際秩序 破壞者를 制裁하고 원상회복을 시키는 主役을 擔當하고 蘇聯으로 하여금 부수적인 役割을 遂行케 함으로써 新 世界秩序의 主導權을 掌握하는 유일한 超強國으로서의 位相 確保

- 世界 原油供給의 心臟部이며 世界戰略의 要衝인 中東地域에 強力한 影響力 確保

- 日本, EC 및 余他國 等에 대한 軍事的. 經濟的 책임분담을 시켜 美國의 負擔能力을 輕減하고, 앞으로 유사한 危機와 紛爭 解決時 美國이 主導하고 能力있는 多數國이 參與하는 先例로 삼음.

2. 이라크

- 壓倒的인 域内 優位力을 背景으로 이. 이戰 終結과 脫冷戰時代의 轉換期를 勢力擴大의 機會로 利用

o 쿠웨이트 併合이란 歷史的 宿願達成, 걸프灣의 힘의 空白地帶에 勢力擴張

o 아랍圈內 汎아랍主義 盟主로서 主導權 掌握

- 금번 事態를 "對美聖戰"이라는 이라크 主導의 回敎國家 對 美國間의 對決 方向으로 몰고가려함.

o 걸프 油田 支配로 世界 原油市場 牽制力 確保, 發言權 伸張

3. 蘇 聯

o 脫冷戰時代의 美.蘇 Partnership에 의한 世界 共同支配體制 構築, 말타에서 헬싱키 頂上會談으로 主要 世界問題 解決先例 確立

o 中東에서의 發言權과 利得 參與

o [고르비] 體制의 國內 政治安定과 經濟改革에 支援과 協力 確保

4. EC諸國

o 美.西歐 中心의 世界秩序 現狀維持, 現狀破壞를 圖謀한 國際秩序 違反者 응징

o 中東에서의 發言權 強化와 國際原油價 安定 圖謀

5. 佛蘭西

ㅇ EC 諸國과 利害 同一

ㅇ 但, 西方圈內에서 수시로 獨自路線을 걸어왔지만 금번에는 美.蘇 協力에 의한 大局의 向方이 이미 決定된 것으로 보고 事態後 페灣 處理에 有利한 位置에 서려고 試圖함.

6. 아랍圈

ㅇ 사우디等 GULF灣 國家는 이라크의 壓倒的 軍事威脅에 直面, 傳統的 汎아랍主義를 깨고 親西方 外國軍 駐屯 許容 方針으로 轉換

ㅇ 이집트, 시리아는 [후세인]의 아랍 覇權主義 牽制를 위해 사우디等과 結束, 反이라크 아랍 聯合軍을 結成, 美軍等 多國籍軍의 사우디 進駐名分을 強化시켜주고, 아랍聯盟을 反이라크 路線으로 이끄는 主役을 擔當함.

- 이집트는 그 代價로 對美 70億弗等 100億弗 以上의 支援提供 받을듯

ㅇ 요르단, 터어키, 이집트等 이라크 隣接國의 戰略的 重要性과 이들 3個國에 대한 美國主導 集中的 經濟援助는 相關關係

- 끝 -

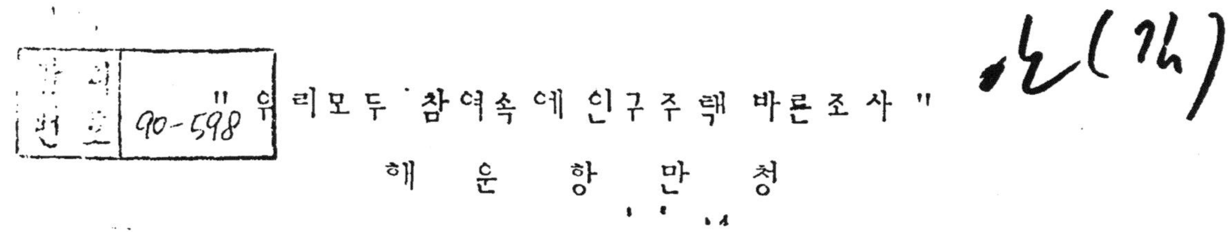

해 운 항 만 청

외항 33720-42 (744-4731) 1990. 9. 22

수신 외무부장관

참조 통상국장

제목 대 이라크 제재 관련 미측 확인사항 회신

비밀검토필(1990.12.31.)

1991.6.30.에 예고문에 의거 일반문서로 재분류됨

1. 통일 2065-1257('90.9.18)의 관련입니다.

2. 주미 대사관이 유엔 안보리 결의 661호에 의한 대 이라크 경제 재재 조치와 관련 귀부를 통해 확인 요청한 사항에 대하여 붙임과 같이 확인 회신합니다.

붙임 : 1.대 이라크 제재관련 미정부 확인요청사항 검토서 1부. 끝.

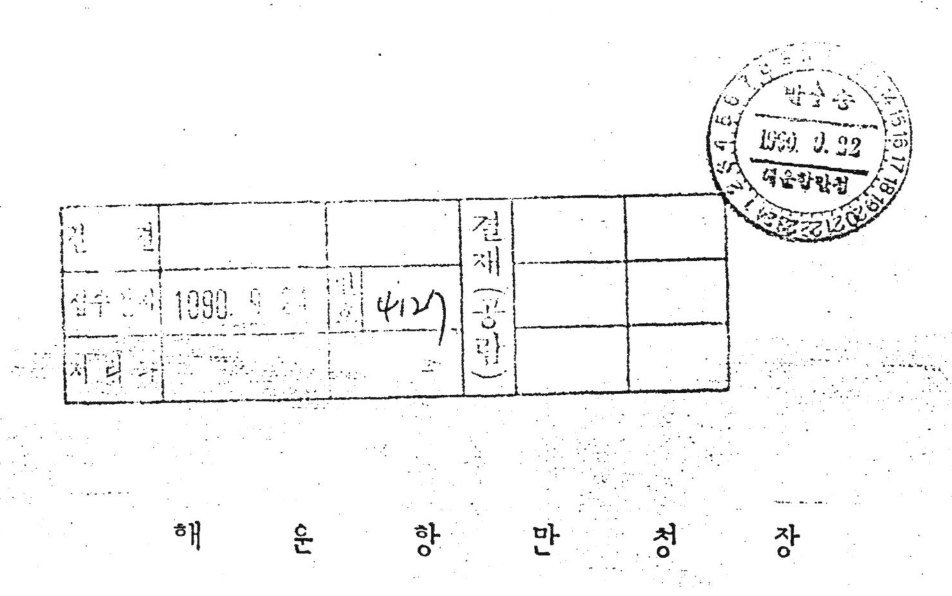

해 운 항 만 청 장

0134

대 이라크 제재 관련 미정부 확인 요청사항 검토

1. 미정부 확인 요청사항

o 최근 파나마 국적선박 Ingenious 호가 한국을 출발하여 이라크가 최종 목적지인 것으로 보이는 화물을 예멘의 Hodeidah 항에 하역하였다는 정보 입수

o 한국의 범양상선과 (또는) Panobulk 사가 동 화물이 예멘을 통해 이라크로 수송 되도록 주선

2. 확인 요청사항 검토

가. Ingenious 호의 한국출발 여부

o Ingenious 호는 파나마 선박으로서, 우리 국적선사인 범양상선에서 항차용선 하여 운항

-- '90. 7. 6 인도네시아 BALIKPAPAN 항에서 상기 선박을 최초로 인수한 바, 한국 항만에 기항한 사실 없음

— 따라서 동 선박으로 한국화물을 수송한 사실이 없음

● 3국간 (인도네시아 - 페르시아만) 화물 수송을 위한 것임

※ 범양상선 항차용선 개요

선 명	원 선 주	국 적	적재톤수 (DWT)	용선기간	비 고
M.V Ingenious	ARMADA(ASIA) CO., LTD. HK	파나마	26,450	50-60일	페르시아만내 안전한 항구에서 반선 책임

3 - 1

0135

나. 이라크/쿠웨이트 화물 선적여부

o 이라크/쿠웨이트 사태 발발이전인 '90.7.6부터 페르시아만내 수개의 항구를 양하지로 하는 화물선적 개시

— 그중 일부화물이 이라크/쿠웨이트 향발 화물임

- 이라크향 화물 : 합판, 원목, 철재 8,423톤 (목적항 UMMQASR 항)
- 쿠웨이트향 화물 : 원목 3,724톤 (목적항 슈와이크항)

o 이라크/쿠웨이트 사태 발생 및 이에 따른 경제제재 조치 시점에 동 선박은 기히 페르시아만 인근해역 운항

다. 이라크 화물의 예멘 호데이다항 양하사유

o 선박운송인 (범양상선)은 국제해운 관례상 정부지시나 전쟁 또는 봉쇄로 인하여 당초 양하항까지 수송 곤란시 당초 양하항의 가장 인근 항만에 양하할 책임 부담

o '90. 8. 10 이라크/쿠웨이트 항만 입항금지 지시 (해운항만청)에 따라 범양상선은 이라크/쿠웨이트 화물을 페르시아만내 인근 항만에 양하 시도

— 쿠웨이트향 화물은 UAE 아부다비항에 양하

— 페르시아만내 4개국 (5개항만)에서 이라크 화물 양하거부

- 거부항만 : UAE (아부다비, 두바이), 사우디 (담맘), 바레인, 오만(무스카트)

※ 이라크 화물 양하 요구에 대한 거부회신 전문 사본 별첨

o 운송인 책임이행 및 원선주와의 용선계약 이행을 위하여 예멘의 호데이다항에 이라크 화물 양하후 Ingenious 호 즉시 반선조치 ('90. 9. 13)

※ 용선계약 : 용선개시일로부터 50~60일 이내에 페르시아만내 안전한 항구에서 반선책임 명시

0136

라. 한국의 Pan Ocean Co 와(또는) Panobulk 사가 예멘을 통해 이라크로 운송주선

o Panobulk 사와 Pan Ocean Co 는 별개 회사가 아님.

— Panobulk 는 범양상선의 과거 명칭인 "범양전용선"의 영문표기

o 선사(범양상선)은 당초 양하항에 수송곤란시 가장 인근 항만에 양하함으로써 모든 운송책임 종료

— 항구(예멘 호데이다항)로부터 내륙 배후수송에 대해서는 범양상선에서 일체 간여한 바 없으며, 동 화물의 이라크 유입여부에 대해서도 선사는 전혀 알지 못함.

첨 부 : 1. Ingenious 호 세부운항일정 1부.

2. 이라크 화물 양하 거부회신 전문사본 1부.

0137

Ingenious 호 세부운항일정

국 명	선적/양하항	입항일	출항일	비 고
인도네시아	BALIKAPAPAN	7. 6	7. 8	
"	PANGKALANBUN	7.10	7.11	
"	BANJARMASIN	7.12	7.14	
"	SURABAYA	7.14	7.18	
"	SEMARANG	7.19	7.21	
"	JAKARTA	7.22	7.25	
"	PONTIANAK	7.26	7.28	
싱가포르	SINGAPORE	7.29	7.29	
말레이지아	KUANTAN	7.30	8. 3	
U.A.E	DUBAI	8.16	8.18	
바레인	BAHRAIN	8.19	8.20	
사우디	DAMMAM	8.21	8.24	
U.A.E	ABU DHABI	8.24	8.25	
"	DUBAI	8.26	8.27	
예 멘	HODEIDAH	9. 2	9.13	

0138

ZCZC SGJ883 TX2812.RC
SGBLO
. 08-16-1990 18:42:20

801418 GLOBE SJ

REF 6138 16 AUG 1990

TO PANOBULK SEOUL
ATTN: BLO DEPT/MR H G KIM

FM GLOBE MARINE SERVICES DAMMAM

RE: IRAQ/KUWAIT INTRANSIT CARGO

RYT BLO-3679 DTD 13.8.90 N FOT 6032 DTD 14.8.90.

AS PER DAMMAM PORT MANAGEMENT, ONLY AND ONLY KUWAIT INTRANSIT CARGO
CAN BE DISCHARGED AT DAMMAM PORT.
TO DISCHARGE KUWAIT INTRANSIT CARGO AT DAMMAM WE HAVE ALREADY ADVSD
YOU. THE DETAIL PROCEDURE N RELEVANT COST AS ADVISED BY DPM (PLS REF
OUR TLX 5938 AUG 07 1990)

THKS N RGDS

NNNN

0139

ZCZC SGJ058 TX1493.RCV
SGBLQ
. 08-20-1990 09:31:07

46608 SHARAF EM
MSG 154 19-AUG-1990

TO PANOBULK SL (BLQ DEPT)
FM SHARAF DXB

19.9.90

RE CARGO TRANSHIPMENT AT
ABU DHABI

RYTLX BLQ - 3689 DTD 14/8/90
WE WUD ADVISE AS FLWS:

1) ABU DHABI PORT ARE PRSNTLY ACCEPPTING KWT CGOS ON T/SHPMNT BASIS N PORT IS BEGINING TO GET CONGESTED. HWEVR PORT HV ACCEPTED BOTH PAN NOBLE N INGENIOUS FOR DISCHARGING KWT CGOS AT THE SAME TIME.

2) FREE STORAGE MAXIMUM 30 DAYS.

3) NO PORT IN UAE IS ACCEPTING IRAQ CGOS AND PRSNTLY ABU DHABI N RAS AL KHAIMAH PORT HV AGREED TO ACCEPT ONLY KWT CGOS, PROVIDED SUITABLE GUARANTEE IS GIVEN THAT CGO WL BE RE-SHPD. ALL LINES CARRYING KWT CGOS ARE DISCHARGING BREAKBULK CGOS AT ABU DHABI N FLWG ARE BRIEF DTLS OF KWT CGOS DISCHD AT ABU DHABI.

1)	M.V.BALTIC	773 MT GEN CGOS
2)	EVERMOORE BLOOM	3718 MT STEEL CGOS
3)	M.V.SEA VENUS	77 UNITS VEHICLES
4)	HUAL MARGRETTA	600 " "
5)	RANA	673 MT GEN CGOS

WE SHALL KEEP YOU CLOSELY ADVSD OF DVLPMTS.

RGDS

46608 SHARAF EM

NNNN

0140

ZCZC SGJ665 TX1434.RC
SGBLD
. 08-14-1990 09:14:33
BAHRAIN 130890

TO: PANOBULK, SEOUL - ATTN: H.G. KIM/BLD DEPT.

RYT BLD-3747 13.8.90

1) PORT NOT ACCEPTING ANY ''IRAQ'' CARGO.

2) ''KUWAIT'' CARGO IS BEING ACCEPTED NOW HWEVER SITUATION CAN
CHANGE WITHOUT NOTICE.

TRANSHIPMENT CARGO ACCEPTABLE UNDER SAME TERMS AS MENTIONED IN OUR
TLX REF 7832-C/RAJ OF 3/8/90 (LOK PRAKASH)

COST (ALL APPROX) AS FOLLOWS:

1. PORT DUES - BASED ON GRT.
2. PILOTAGE/TUGBAGE BD.400
3. VTMS/GARBAGE BINS BD.30

4. A) GENERAL CARGO 1320 MT
BD. 2775 STEV/TALLY/SUPERVISION (NORMAL TIME)
500 STEV/TALLY/SUPVN - O/T DIFFERENTIAL
900 PORT OVERTIME
500 EXTRA LABOUR/CARGO SLINGS/WAITING ETC
2000 FORKLIFTS
750 AGENCY FEE

B) PLY/TBR 3800 CBM
BD. 6935 STEV/TALLY/SUPVN - NOMRAL TIME
1000 STEV/TALLY/SUPVN - O/T DIFFERENTIAL
900 PORT O/T
1000 EXTRA LABOUR/CARGO SLINGS/WAITING ETC.
3000 FORKLIFTS
1000 AGENCY FEE

NOTE: ABV EXPNS FOR DISCHARGING ONLY. SIMILAR EXPNS FOR
RELOADING ALSO.

5) PORT TRANSHIPMENT CHARGE BD.4 PER TON INCLUDING SOTRAGE
FOR 30 DAYS. ADDL STORAGE BD. 0.300 PER TON PER MONTH.

TO QUALIFY FOR TRANSHIPMENT, GOODS MUST BE LANDED EX
CARRYING VSL ON THRU BILL OF LADING.

6) BD. 130 TLX/CABLES ETC

7) BD.150 MISC EXPNS.

ROE BD. 1 = USD. 2.60

RGDS
GAC BAHRAIN

3211 GAC BN
NNNN

0141

ZCZC 9GJ659 TX1417.RCV
SGBLO
. 08-14-1990 09:03:06

3664 GACSHIP ON
GPB

TO 23511 PANOBULK K

13/8/90
TLX REF GPB/6807 ER/TV

FM GAC MUSCAT
TO PANOBULK SEOUL
CC GAC SALALAH

RE: CARGO TRANSHIPMENT

RYTLX BLO-3680 13/8 RE TRANSHIPMENT OF KUWAITI AND IRAQI CARGOES AT OMANI PORTS, PLS BE ADVISED THAT AS MINA QABOOS LACKS STORAGE SPACE, THEY REGRET THEIR INABILITY TO ACCEPT T/S CARGOES.

HOWEVER, WE REFERRING THE MATTER TO MINA RAYSUT (SALALAH) AND WILL REVERT OUTCOME WITHIN SOON.

RGDS

3664B GACSHIP ON

예고문	1991. 6. 30.

NNNN

0142

	분류번호	보존기간

발 신 전 보

번 호 : WUN-1454 900924 1521 DN 종별 :

수 신 : 주 유 엔 대사. 총영사

발 신 : 장 관 대리 (미북)

제 목 : 페르시아만 사태 관련 지원 문제 발표문 송부

금 9.24(월) 10:00 본직이 발표한 표제 발표문(국.영문)을 별첨 fax편 송부함.

첨부 : 상기 발표문 국.영문 각1부. 끝.

: WUN(F)-0053

(미주국장 반기문)

보 안 통 제	

앙 고 재	90년 9월 24일	북미과	기안자 성 명		과 장		국 장		차 관	장 관
			오길렬							

외신과통제

0143

	분류번호	보존기간

발 신 전 보

번 호 : AM-0189 900924 1932 DY 종별 :

수 신 : 주 전재외공관장 대사. 총영사

발 신 : 장 관 대리 (미북)

제 목 : 폐만 사태 관련 아측 지원 방안 발표

1. 표제 관련, 미국은 9.7. 다국적군 유지 및 주변 전선국가 지원 경비로 아국이 3.5억불을 분담토록 요청해온 바 있음.

2. 상기 요청에 대해 정부는 국제사회에서 무력에 의한 불법적인 침략행위가 용인되어서는 안된다는 국제법과 국제정의에 입각하여 UN안보리의 대이라크 제재 결의를 존중하고, 아국의 신장된 국위에 부응하여 국제 평화 유지 노력에 일익을 담당해야 한다는 판단하에 페르시아만의 질서 회복을 위한 국제적 노력을 지원키로 결정하였음. 동 결정을 함에 있어서, 총 원유수요의 75%를 중동으로부터 도입하는 우리나라로서는 중동사태의 조속한 해결을 통한 원유의 자유로운 수급질서 회복과 유가 안정이 무역수지 및 물가안정등 국익에 크게 도움이 된다는 점을 특히 고려하였으며 현재의 어려운 국내 경제 상황과 ~~특히~~ 최근 홍수 피해로 인한 재정 부담등도 충분히 감안하였음.

3. 정부는 상기 모든 고려 요소를 감안, 다국적군의 경비로 1.2억불, 주변 전선국가에 1억불, 총 2.2.억불을 지원토록 결정하였고 이와는 별도로 의료단 파견을 긍정적으로 검토중이며, 상기 내용을 금9.24(월) 10:00(KST) 발표하였음.

/ 계 속 /

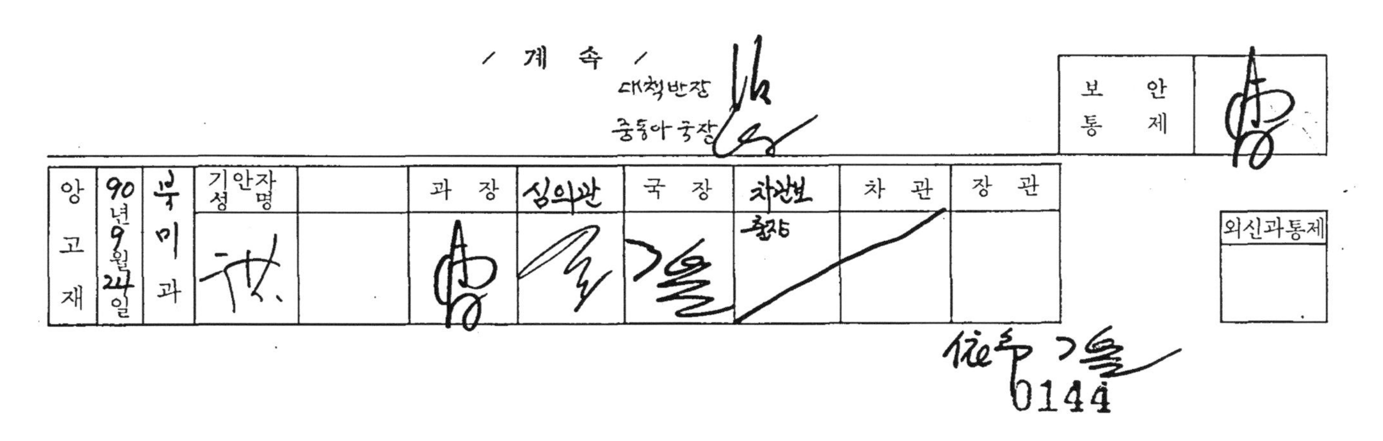

대책반장
중동아국장
보 안
통 제
앙
고
재
90년 9월 24일
북미과
기안자 성 명
과 장
심의관
국 장
차관보
차 관
장 관
외신과통제
0144

4. 다국적군 경비 지원은 현금 5천만불을 포함 수송지원 및 현물지원으로, 주변 전선국가에 대해서는 EDCF 자금 4,000만불, 정부 보유미 30,000톤(1천만불 상당) 및 필요 현물을 지원함으로써 직접적 재정 부담을 줄이고 아국 경제에 도움이 되도록 하였으며 금번 사태로 본국 귀환에 어려움을 겪고 있는 난민 수송 지원을 위해 국제이민기구(I.O.M) 에 50만불을 기여토록 결정함. 끝.

AM-0189 900924 1932 DY

(장관 대리 유종하)

0145

페르시아만 事態關聯 經費分擔에 관한 發表文

9.24

ㅇ 政府는 最近 페르시아만 事態와 關聯한 多國籍軍의 經費를 分擔하고, 對이라크 經濟制裁 措置로 인하여 被害를 입고 있는 國家들에 대한 經濟的 支援을 해 달라는 友邦國들의 要請을 接受하고, 이 問題를 檢討해 왔음.

ㅇ 政府는 國際社會에서 武力에 의한 不法的인 侵略行爲가 容認되어서는 안된다는 國際法과 國際正義에 立脚하여 UN 安保理의 對이라크 制裁 決議를 尊重하고, 我國의 신장된 國威에 副應하여 國際 平和 維持 努力에 一翼을 擔當해야 한다는 判斷下에 페르시아만의 秩序 回復을 위한 國際的 努力을 支援키로 決定하였음.

ㅇ 同 決定을 함에 있어서, 總原油需要의 75%를 中東으로부터 導入하는 우리나라로서는 中東事態의 早速한 解決을 통한 原油의 自由로운 需給秩序 回復과 油價 安定이 貿易收支 및 物價安定 等 國益에 크게 도움이 된다는 점을 특히 考慮하였음.

ㅇ 政府는 多國籍軍의 經費로 航空機, 船舶等 輸送手段의 提供과 防毒面, 軍服 등의 現物 支援을 包含하여 1億2千万弗 範圍内에서 特別 支援키로 決定하였음.

0146

o 또한 今番 事態로 經濟的 被害를 입고 있는 周邊國(요르단, 터키, 이집트 等 3個 前線國家)에 대하여는 政府 保有米 30,000톤(1千万弗 相當)을 支援하고 開途國에 대한 長期 低利 借款인 對外 協力 基金(EDCF) 4千万弗 및 同 周邊國의 必要 現物等을 支援하며, 各國의 難民 輸送을 支援하기 위해 國際 移民機構(I.O.M.)에 대해서도 50万弗을 寄與할 豫定임. 이러한 支援은 總1億弗 範圍内에서 이루어질 것임.

o 이와 별도로 政府는 醫療團을 派遣할 것을 肯定的으로 檢討中이며, 具體的인 派遣 計劃은 關聯國과의 協議를 거쳐 決定할 것임.

o 이러한 支援規模 및 方法을 決定함에 있어서 政府는 他 友邦國들의 支援内容을 考慮하였으며, 現在의 어려운 國内 經濟狀況과 특히 最近 洪水 被害로 인한 財政負擔 等을 充分히 감안하였음.

o 政府는 페르시아만 事態 解決을 위한 國際的 努力이 結實을 맺어 이 地域의 平和와 安定이 早速 回復되기를 希望하는 바임.

0147

Statement
by
The Acting Foreign Minister Chong Ha Yoo
on
Costsharing in relation to Gulf Crisis

September 24, 1990

Ministry of Foreign Affairs

0148

o The Government of the Republic of Korea has received requests from friendly countries for favorable consideration to render financial and material support to multinational defense efforts and to countries whose economies are serionsly affected by economic sanctions against Iraq.

o Upholding the international law and justice by which armed aggression should not be tolerated in the international society, the Korean government supports the United Nations Security Council resolutions including the one imposing economic sanctions against Iraq. As a member of the international community, we believe that we should bear a fair share in the international efforts to maintain world peace and stability, thus helping restore the order in the Gulf area.

o In making this decision, the Korean government has taken into consideration the fact that an early settlement of the Middle East crisis would ensure the smooth supply of oil and stabilization of its price as well as help maintain peace and stability in that region. As Korea is dependent 75% of the need on oil imported from the Middle East, the stabilized oil supply system will undoubtedly help Korean economy in her balance of trade.

0149

o The Korean government decided to support multinational defense efforts by providing air and maritime transportation facilities and services including in-kind contributions such as military uniforms and gas masks within the range of equivalent to 120 million U.S. dollars.

o In addition to the above-mentioned support, the Korean government will provide the front-line states such as Jordan, Turkey and Egypt whose economies are seriously affected by the imposition of economic sanctions with 30,000 tons of rice equivalent to 10 million U.S. dollars. We will also use 40 million U.S. dollars from the existing Economic Development Cooperation fund which provides loans of long-term and low-interest for third world countries. Also some goods such as the necessaries of life will be provided to the three front-line states. And another half million U.S. dollars will be contributed to the International Organization on Migration to assist in the refugee transportation effort in Gulf region. These economic assistance program will be within the range of 100 million U.S. dollars.

o Additionally, the Korean government is now considering favorably the dispatch of a medical team and the detailed plans will be worked out in consultation with the countries concerned

0150

o In determining the scale and method of support, the Korean government has fully taken into consideration the supports given by other friendly countries, the present domestic economic difficulties and particularly an imminent national budgetary and financial burden which we face due to the recent flood.

o The Korean government sincerely hopes that peace and stability in that area will be restored through the concerted international efforts for a peaceful settlement of the Gulf crisis.

0151

參 考 資 料

1. 支援 決定時 考慮事項

가. 安保 問題

o 武力에 의한 領土紛爭의 解決이 容認될 경우 將來 韓半島 安保環境에 큰 危害가 될 것인바, 韓半島의 有事時 國際社會의 共同 介入을 通한 平和 回復 期待 및 韓半島에서 武力 挑發 可能性 豫防 効果

o 韓.美 安保協力 關係 持續

- 駐韓 美軍 維持, 防衛費 分擔 問題 關聯 美 議會 및 言論의 批判 輿論 可能性 對備

나. 經濟 通商 側面 考慮

o 我國은 89年度 46億 8,553万弗 相當의 原油를 導入하였음. 原油의 순조로운 需給도 重要하거니와 中東事態로 인하여 油價가 不安定하게 되는 境遇 우리의 經濟에 주는 打擊은 莫甚하기 때문에 今番 國際的 努力으로 原油의 需給과 價格體系가 正常化되는 境遇, 油價 1弗 引下時 年間 原油 導入額에서 3億 3,000万弗이 節減되므로 예컨데 油價가 10弗 安定되면 33億弗이 節減되어 我國은 支援額을 크게 上廻하는 利益을 보게 됨.

0152

- 今年 上半期 平均 油價가 1배럴당 16.5弗이었으나 9.17現在 30.89弗로 上昇

- 我國의 對中東 原油 依存度는 74%

o 페르시아만 事態의 早速한 解決은 我國의 安定된 原油 供給 確保는 물론 建設等 經濟進出에도 不可缺한 條件이며, 我國의 支援이 未洽할 境遇 "페"만 事態 解決後 對中東 進出에 否定的 影響 憂慮.

다. 外交的 考慮

o 6.26 事變時 유엔의 도움을 받은 我國으로서 對이라크 共同制裁에 관한 유엔 決意에 적극 참여해야 할 道義的 의무가 있으며, 이는 我國의 유엔 加入 政策과도 附合됨.

o 我國의 신장된 國威에 副應하여 國際 平和 維持 努力에 一翼 擔當

- 我國의 支援이 微溫的일 境遇, 經濟的 利益만 追求한다는 國際的 非難 可能性 考慮

o 長期的인 觀點에서 사우디, UAE 等 中東 友邦國들과의 共同步調 및 周邊 被害國들과의 友好 關係 增進 圖謀

0153

라. 國內 經濟 狀況 考慮

o 今年度 貿易 赤字等 經濟事情 惡化, 駐韓 美軍 防衛費 分擔

o 특히 最近 大洪水로 約 6億弗 追加 財政 소요 等으로 過度한 支援 不可

2. 支援 內容의 特徵

가. 兵力 또는 艦艇 派遣等 直接的인 軍事支援 排除

나. 支援 形態를 現金 支援보다는 物資 및 서비스 中心으로 함으로써 我國 經濟에 도움이 되는 方向으로 하였으며, 이중 相當部分은 旣存 借款 基金을 活用하여 追加 財政 負擔을 줄였음.

添 附 : 1. 日本, 西獨과 我國의 國力 對比

2. 各國의 支援 現況

0154

(添　附)

1. 日本, 西獨과 我國의 國力 對比

	韓國	日本		西獨	
			韓國對比		韓國對比
支援 規模(億弗)	2	40	20 배	20.8	10 배
GNP (億弗)	2,101	28,337	13.5배	12,008	5.7 배
1인당 GNP(弗)	4,127 (88年)	23,317 (88年)	6 배	19,741 (88年)	5 배
交易 規模(億弗)	1,239	4,940	4 배	6,112	5 배
外換 保有(億弗)	152	851 (89.9)	5.5배	533 (88年)	3.5 배
經常 黑字(億弗)	51	568	11 배	555	11 배
中東原油導入 (億 배럴)	2.47	11.40		0.96	

0155

2. 各國의 支援 現況 (90.9.20)

國　家	經濟的 支援	軍事的 支援
日　本	40億弗 - 多國籍軍 20億	非戰鬪員 2,000名 派遣 檢討
西　獨	20.8億弗(33億 마르크) - 多國籍軍 10.1億弗 - 前線國家 8億弗 - EC 基金 2.6億弗	艦艇5隻 (掃海艇 4, 補給艦 1)
E C	20億弗 (分擔額·未合意)	
英　國	EC 次元 共同 步調	6,000名, 7隻, 40臺
불란서	"	13,000名, 14隻, 100臺
이태리	1.45億弗(1次 算定額), "	艦艇5隻
벨기에	EC 次元 共同 步調	掃海艇2隻, 補給艦 1隻
네덜란드	"	프리깃艦 2隻
스페인	"	艦艇3隻
폴투갈	"	艦艇1隻
그리스	"	艦艇1隻

0156

國　家	經濟的 支援	軍事的 支援
濠　洲	8百万弗(難民救護)	艦艇3隻, 醫療陣 20名
노르웨이	2,100万弗	
카 나 다	6,600万弗	艦艇3隻, 戰鬪機 中隊
G.C.C.國	사 우 디 : 60億弗 쿠웨이트 : 40億弗 U.A.E.　: 20億弗	이집트 : 19,000名 모로코 : 1,200名 시리아 : 15,000名 GCC5국 : 10,000名
아시아國	臺　灣 : 2-3億弗	방글라데시 : 5,000名 파키스탄 : 5,000名 인도네시아 : (派兵 用意)

* 美國 : 兵力 155,000名, 艦艇 48隻, 航空機 150臺

ㅗ 蘇聯 : 戰艦 1隻, 對潛艦 1隻을 派遣하였으나 多國籍軍에는 不參

0157

民自黨 國際關係 特別委 報告 資料

最近 中東事態와 우리의 對應策

1990. 9. 25.

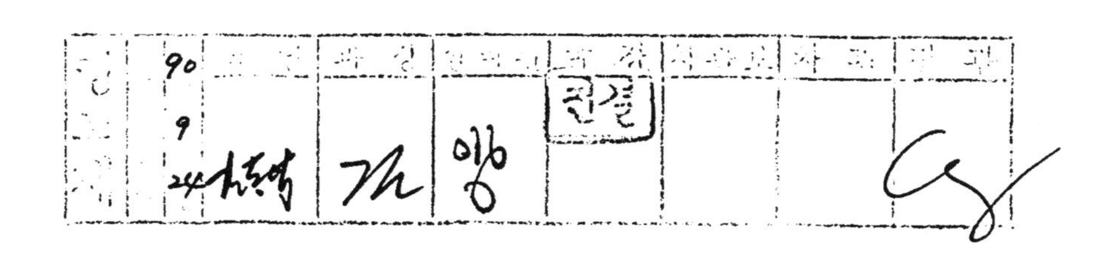

外　　　務　　　部

0158

目 次

0159

1. 事 態 現 況

ㅇ 最近 이라크는

  쿠웨이트 併合을 기정 事實化 하기 위하여

  - ~~19번째 州로 宣布한 쿠웨이트에 이라크의 地方 行政 長官을~~

    ~~州知事로 任命하였으며,~~

  - ~~사담 후세인 大統領이 反美 感情 煽動을 위한 對美 聖戰 宣布(9.12)를~~

    ~~한데 이어,~~

  - 決死 抗戰 意志를 再闡明(9.21)하고

  - EC, 이집트등 西方 外交官을 追放(9.21)하는등

  强硬 立場을 固守하~~는 한편~~

  - ~~PLO 아라파트 議長을 통해 걸프事態, 팔레스타인 問題등 包括的~~

    ~~中東問題 解決을 論議하기 위하여~~

  - 사우디, UN에 대하여 國際會議 開催를 提議하면서, 國際的 孤立 脫皮와

    經濟 封鎖 打開에 努力하고 있음

ㅇ 美國을 비롯한 反 이라크 陣營은

  - 유엔 安保理를 통한 ~~事態 勃發以後 일곱차례에 걸쳐~~ 對 이라크 經濟 制裁

    ~~措置를 決議하고~~, ~~8번째 決議~~인 空中 封鎖를 決定할 豫定

  - ~~이라크에 대한 經濟 封鎖 措置를 强化~~하고

  - 이라크 外交官 報復 追放과 아울러

  - 불.영.시리아.이집트軍의 增派등 多國籍軍의 軍事力을 增强시켜

  - 軍事的, 經濟的 壓力을 加重하고 있음

0160

o 現在의 페灣 地域 軍事的 狀況은

　- 이라크가 그간 이라크 南部에 36만명의 兵力과 2,800대의 전차를
　　配置한 반면

　- 반 이라크측은 16만의 美 地上軍을 包含 26만명의 多國籍軍 兵力과
　　F117 전투기(Stealth Bomber)등 最 尖端 武器 配置를 完了함으로서

　- ~~걸프域內는 이라크軍과 多國籍軍이 尖銳하게 對峙하고 있는 狀況임~~

　- 兩側의 最小 可能한 兵力 配置가 完了되었다는 狀況으로

2. 分析 및 展望　- 美軍의 軍武裝 整備化가 이룩되는 10월 中旬을 초기로
　　　　　　　　　　　　軍事行動을 취하는 태세가 완비됨

o 美國이 主導하는 금번 事態解決 努力에 英·佛·蘇聯등 多數의 國家가
　同參하고 있는 背景은

　- 이라크와의 對決에서 反이라크 陣營이 勝利하리라는 確信과

　- 侵略者에 대한 膺懲과 石油의 安定 供給이라는 大義 名分 以外에도

　- 事態 解決後 同 地域에 대한 影響力 確保에 있는 것으로 보임

o 이라크의 決死 抗戰의 强硬立場과 事態의 政治的 解決 用意 示唆 背景은

　- 美國의 短期的 軍事的 解決 名分을 弱化시키고,

　- 또한 反 시오니즘을 標榜, 多國籍軍에 參與한 아랍國家들을 分裂시키려는
　　意圖가 있는 것으로 봄

o 現 時點에서 美國은

　- 對 이라크 經濟 封鎖 强化에 注力하며　　　→ 兩者를 병행하며

　- ~~當分間 經濟 封鎖 效果를~~ ~~~~ 이라크의 弱點을

　- ~~友邦 諸國으로 부터 兵力 增派 또는 經費 分擔등을 통해~~

　- ~~多國籍軍의 戰力을 强化하기 위한 努力을 繼續할 것으로 보임~~

　- 군사행동을 계속, 또는 군사 행동의 강도를 더욱

0161

o 이라크의 經濟 封鎖 打開 努力에도 不拘, ~~徹底한 經濟 封鎖 措置가 持續될 경우~~

- ~~그~~ 效果는 今年末 또는 늦어도 明年初 까지는 나타날 것으로 보이며,
- 그 시점에서 이라크가 撤軍을 前提로 한 妥協을 摸索할 可能性이 있음

o 美國~~도 10월 中旬 까지는 必要한 兵力과 裝備를 걸프地域에 移動~~, 攻擊 態勢를 갖출 ~~것이나~~,

- 많은 西方 人質, 油田 被擊時 世界經濟에 미칠 影響, 擴戰우려등 制約 要因이 많으므로
- 軍事的 解決을 試圖하기 보다는 莫强한 軍事力을 背景으로
- 蘇聯과 協調, 이라크의 屈伏을 强要하므로써
- 事態의 政治的 解決에 注力할 것으로 보임

o 더욱이 부쉬 美 行政府로서는

- 11月6日의 中間 選擧를 意識하여
- 可及的 그 以前에 쿠웨이트로 부터 이라크軍을 撤收시키기 위하여 對 이라크 軍事的, 外交的 壓力을 倍加할 것으로 보이며,

~~o 만일 이러한 壓力에도 不拘하고~~,

- 事態의 平和的 解決 展望이 보이지 않을 경우,
- 最後 手段으로 유엔 安保理에서 軍事制裁 追加 措置를 決議,
- 유엔의 旗幟下에 美.蘇 協力을 통해 事態의 軍事的 解決을 試圖할 可能性이 ~~많음~~

0162

3. 우리의 對應策

가. 經費 分擔 (北美課 에서)

나. 僑民 撤收

o 9.25 現在 僑民 撤收 現況은

- ~~이라크가 쿠웨이트를 侵攻하던 當時~~

- ~~이라크에 700여명, 쿠웨이트에 600여명으로~~

~~양 地域에 進出한 우리 僑民數는 總 1,300여명 이었으나~~

- 그간 이라크 當局 및 關聯國家들과의 外交交涉라

我國 公館의 努力으로 ~~와 關係部處 및 關聯業體의 協調로~~

- 지금까지 1,130여명을 安全하게 撤收시켰고

- 現在 殘留僑民은 쿠웨이트에 9명 이라크에 公館員 包含 180여명등

總 190여명이 殘留하고 있음

o 現在 쿠웨이트 殘留 僑民은

- 公館의 撤收 勸誘에도 不拘하고 本人들이 끝까지 殘留하기를

希望하는 僑民들임을 參考로 말씀드리며,

- 쿠웨이트 僑民 撤收는 事實上 完了 되었다고 報告 드릴수가 있음

o 이라크에 있는 180여명의 僑民은

- 大部分 進出業體 所屬 勤勞者들로서,

- 所屬 業體等과 緊密히 協議,

이라크 發注處 承認과 出國 手續이 끝나는대로

迅速하고 安全하게 撤收되도록 萬全을 다할것임

0163

o 完全 撤收시까지의 安全 對策으로서,

- ~~現地에서 萬若의 경우에 對備,~~

  . ~~非常連絡網을 維持하고~~

  . 自體 警備 强化와 身邊 安全措置를 講究하고 있으며,

- 또한 燃料, 食糧, 食水等 備蓄分이 있어

  . ~~殘留僑民에게 아직까지 極限的인 어려움은 없는 것으로 確認되고 있으나~~

  . 必要時, 醫藥品, 非常食品等을 特別支援하는 方案도 講究하고 있음

- 政府는 또한 避難 撤收僑民의 事後對策으로

  . 無依托 撤收僑民 251명에 대한

    航空料 및 宿食費등을 豫備費에서 支援하기 위해

    ~~關係部處와 協議中에 있으며~~

  . ~~以外에~~도 定着에 必要한 融資金, 就業 斡旋도 周旋하고 있음

다. 駐 쿠웨이트 公館 維持

o 정부는

- 이라크 政府의 8.24한 쿠웨이트 駐在 外國公館 閉鎖 要求에 불구,

- 유엔 安保理 決意 662에 따라 公館을 閉鎖치 않고 維持하였으나

0164

o 이라크는 8.24 以後

- 쿠웨이트內 모든 外交官에 대해
  一切의 外交特權을 剝奪 하였으며
- ~~우리 公館의 경우도~~
  8.29부터 斷電, 斷水 措置로 45℃ 以上되는 무더운 날씨에
  公館員들의 苦痛이 極甚하였으며
- 斷電으로 交信도 杜絶되어 一時 友邦國 公館을 통하여 報告를
  해오는 實情 이었음

o 正常勤務가 不可能한 狀態 下에서

- 公館員의 健康과 安全이 憂慮되어
- 9.2. 소병용 大使를 包含 公館員 4명을 일단 駐 이라크 大使館으로
  撤收,
- 이라크 政府와 出國 問題를 交涉하고 있음

~~o 따라서 駐 쿠웨이트 大使館 活動은 一時 停止 狀態에 있으며~~

= 大使館 및 館邸는 現地僑民 3인에게 管理를 依賴 하였음

o 앞으로 이라크側이 繼續 出國 許可를 遲延시킬 境遇는

- 友邦諸國과 共同 步調로 適切한 對應策을 講究할 豫定임

0165

o 駐 이라크 大使館에 대하여는

- 現在 이라크에는 建設業體 必須要員을 除外한 大部分의 僑民이 撤收한 狀態이고
- 對 이라크 經濟 封鎖등으로 生必品 購入등이 어려운 狀況에 있으며,
- 특히, 多國籍軍 維持 費用과 이집트등 戰線國家 經濟 援助等 我國의 經費 分擔 内容이 公表~~될 경우~~ 되었을때
- 이라크 政府의 我國에 대한 態度 變化時 關係가 惡化될 憂慮가 많아
- 最小 必須要員을 除外한 公館員을 緊急 撤收시킬 計劃임. 끝.

0166

주 쿠웨이트 공관원 이라크 출국

靑瓦台報告.
p.27

1990. 9. 26.

외 무 부

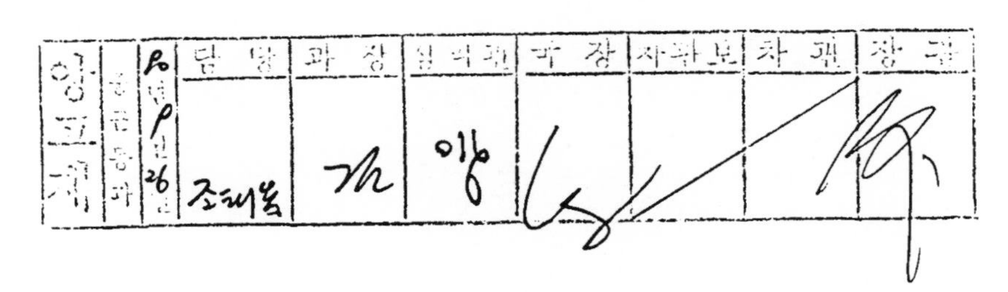

0167

이라크측의 출국 불허로 바그다드에 체류중이던 주 쿠웨이트 소병용 대사등 공관원 4명이 9.25. 이라크 정부의 출국 승인을 받아 9.27.(목) 10:00경(서울시간) 요르단에 도착할 예정임을 보고드립니다.

1. 경 위

o 아국정부, 유엔 결의 존중 및 미국등 우방국과 공동 보조를 취하여 이라크측 철수 시한인 8.24. 이후에도 주 쿠웨이트 대사관 계속 유지 결정

o 단전, 단수, 통신 두절등으로 공관원들의 신변 위협 및 고초가 극심함을 고려, 주 쿠웨이트 잔류 공관원 4명 9.2자 철수 지시 (바그다드로 이동)

o 이라크 정부, 8.24. 이후 철수한 쿠웨이트 외국 공관원의 출국 불허 방침 통보

o 주한 이라크 대사 2회 외무부 소환 및 주 이라크 대사관 현지에서 9회 교섭 실시

o 이라크 정부, 9.25 출국 승인 방침 통보

o 공관원 4명, 9.26. 자정 (서울시간) 육로로 요르단 향발 예정

0168

2. 분석 및 금후 조치 사항

가. 이라크 정부는 철수 시한인 8.24. 이후 쿠웨이트 공관을 유지한 아국등 24개국에 대한 보복으로 철수 공관원의 출국을 불허하여 왔는바, 이번에 아국에 대하여 공관원 출국을 허용한것은 다음과 같이 분석됨

- 9.3. 이후 서울과 바그다드에서 10회 이상의 적극적 교섭

- 아국은 쿠웨이트 주재 아국 공관 직원의 출국에 영향을 미칠것을 고려, 이들 직원의 철수가 공관 폐쇄가 아니라 잠정적인 업무 중단임을 밝히는 성명을 발표하지 않았는바 이러한 조치가 이라크 정부에 의하여 평가된 것으로 보임

- 이라크측의 출국 허용 결정이 9.24. 아국의 걸프사태 경비 분담 발표 후에 이루어진 사실로 미루어 현재로서는 아국에 대한 종래 정책에 변동이 없는 것으로 보임

- 국내 언론과의 원활한 협조를 통해 공관원 바그다드 체제 사실의 장기간 보안유지로 조용한 해결이 가능하였음

0169

나. 금후 조치 사항

1) 출국 관련 정부 입장 표명

o 아국은 이라크의 쿠웨이트 병합을 인정하지 않으며 주 쿠웨이트 대사관 잠정 업무 중단 조치가 아국의 유엔 안보리 관련 결의 준수 입장에 변화를 의미하지 않는다는 요지의 입장은 질문이 있을시 당국자 명의로 밝힘 (공관원 철수 완료후)

2) 잔류 아국인 철수 노력 지속

o 현재 이라크에는 167명의 아국인이 아직 잔류중인바(쿠웨이트 아국인 철수는 사실상 완료), 잔여 아국인 조속 철수 노력 계속

o 주 이라크 대사관 인원 축소, 잔류 아국인 신변안전 보호 및 긴급 대피 계획 마련 . 끝.

0170

페르시아만 사태 지원 집행 계획 수립 실무회의 결과

90. 9. 27

외 무 부

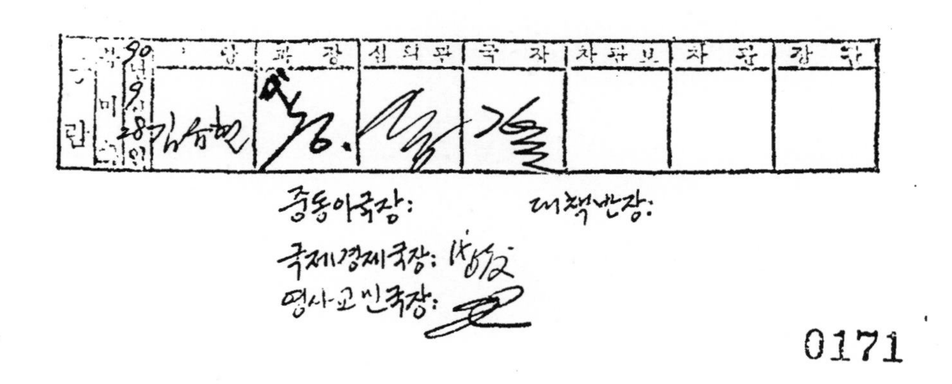

0171

1. 회의 개요

가. 일 시 : 90.9.27(목) 16:30 - 18:40

나. 장 소 : 외무부 조약체결실(8층)

다. 회의 참석자

외 무 부 : 권병현 이라크-쿠웨이트 사태 대책반장(회의주재)

경제기획원 : 장승우 대외조정실 제2협력관
황정중 행정예산과장

외 무 부 : 반기문 미주국장
이두복 중동아국장
허리훈 영사교민국장
윤지준 국제경제국 심의관

재 무 부 : 한택수 외환정책과장

국 방 부 : 윤용남 정책기획관

농수산부 : 박창정 양정과장

상 공 부 : 황두연 상역국장

교 통 부 : 최 훈 수송정책국장

0172

2. 토의 내용 요지

o 금일 회의결과를 청와대 및 국무회의에 최단시일내 보고

o 집행계획 수립 및 시행과 관련 주관부서 및 협조부서 결정

o 전선국가에 대한 물품 지원과 관련, 상공부.국방부 등 관계부처에서 지원 가능 품목 목록을 작성, 이를 토대로 수원국과 교섭을 통해 지원 품목을 우선 확정할 필요

o 아국의 경제사정, 안보상황 및 국민여론 등을 감안할 때 더이상의 지원 불가하다는 점을 미측에 납득시키는 노력 강화

o 물품지원의 경우, 기 확정된 금액 법위내 운송비 등 모든 부대비용을 포함

o 군의료진 파견 분위기 조성을 위한 대 국회 및 국민에 대한 홍보 전개 필요 또한 의료단 파견시 기본적인 의료장비 구입 등 최소한의 경비를 제외한 나머지 경비는 미국 또는 사우디가 부담토록 교섭함.

3. 부처별 주요 발언 요지

o 안 기 부 :

- 군의료진 파견 관련 대 국민, 국회 설득이 중요하다고 봄.
- 군의료진 파견이 전투병력 파견으로 연결되지 않도록 함이 중요함.

o 경제기획원 :

- 예산조치와 관련 금년도 추경 예산에 860억원(1억2천만불)이 계상되어 있음.(항은 외교활동, 세항은 정무활동, 목은 해외경상 이전)
- 현재 10월 10일경 국회가 구성되어 추경부터 처리하게 되면 늦어도 12월 10일경에는 예산 지출이 가능함.
- 한편, 국회대책과 관련 경제기획원은 추경 심의시 고도의 정치적 결단에 의한 추경이라는 설명만을 할 예정이므로 자세한 내용은 외무부에서 대외비 사항으로 설명이 있어야 할 것입.

0173

- EDCF 자금 및 양특 자금은 추경과는 별도이며 명년도 지원액 5천만불은 91년도 예비비 등에서 처리 예정.
- 물품지원과 관련 수송비 등은 물품지원 예산 자체에 포함되도록 해야 함.
- 수원국이 원하는 사항의 조속 파악을 위해 관계부처 실무 조사단을 수원국에 파견토록 함.
- 군의료단 파견시 수송비 등 최소의 경비는 국방부의 현 예산으로 처리하고 나머지 비용은 관계국이 부담하는 방향으로 추진함.

o 외 무 부 :

- 베이커 미 국무장관은 9.26. 최호중 외무장관과의 회담시 아측의 지원에 사의를 표하고 페만사태 추이에 따라 한국이 추가 부담을 해 줄 것을 요청
- 이와관련 미국에 대해 아국이 최대한의 지원을 한 것이며, 추가부담은 어렵다는 점을 설득하는 노력 배가 필요
- 미국은 페만사태 관련 각국의 지원 활동을 상호 조정하기 위해 Gulf Crisis Financial Coordination Group 창설, 제1차 회의를 9.26. 개최함.
- 물자수송 등에서 발생하는 운송비, 보험료 등 모든 부대비용은 반드시 정해진 예산 범위내에서 처리함.
- 국회 및 국민과 사전 충분한 협의가 없었는 바, 대국회 및 여론 대책 수립 필요
- 지원 분야에 따라 관계 부처간 소위원회를 구성, 집행계획 수립 및 시행을 담당토록 함.
- 전선국가 등에 대한 경제 지원은 미국과의 협의보다는 수원국과 직접 교섭을 통해 실시 예정
- 미측은 아국이 요르단에 쌀을 지원할 경우 동 쌀이 이라크로 유입되어 대 이라크 제재조치를 완화시키는 결과를 초래할 가능성을 우려하고 있음. 따라서 이러한 가능성 봉쇄를 위한 사전 조치 강구 필요하며 방글라데시 등에 대한 쌀 지원 문제 검토 필요

0174

- 다국적군 활동 지원 및 전선국가 경제지원 관련, 아국의 자주적인 결정 영역 확대를 위한 외교적 노력 경주중.
- 기 수송지원 비용에 대한 회사측의 조속한 대금정산 요청과 관련, 추경 예산으로 변제가 될 때까지, 재무부측에서 동 회사에 대한 특별자금 대출 조치 등을 강구해 주길 바람.

o 재 무 부 :

- EDCF 자금을 활용한 경제지원은 회수가능성 및 사업성 심사 등 기술적 문제가 많이 게재되게 되는 점을 주관 부서 선정시 고려해야 함.
- EDCF 지원 관련, 국별 차관액을 미리 정하고 이를 대외적으로 공약 (Commit)하는 것은 바람직하지 못함.

o 국 방 부 :

- 집행계획과 관련 주관부서 등에서 세부계획을 수립하고, 이와 관련한 문제점 등을 외무부에 통보하여 대미 교섭에 활용토록 하는 것이 바람직함.
- (월남파병의 연혁 설명후) 군의료진 파견을 위해서는 국민여론과 국회의 동의를 얻기위한 대의명분이 제일 중요.
- 현재 군의료진은 90.12.1. 이전 선발대 파견, 90.12.25. 이전 본대가 도착토록 하도록 계획을 수립중임.
- 국방부는 현재 군의료진 파견 분위기 조성을 위한 대외 홍보를 전개하고 있는 바, 외무부 등 관계 부처에서도 홍보를 전개해 주기 바람.
- 군의료진 파견시 상당한 예산이 소요되므로 이에 대한 예산 대책 수립이 필요함

o 농수산부 :

- 쌀 수송과 관련 하역비 등은 어느 국가가 부담하는지 등 세부적인 사항에 대한 검토가 필요함.

0175

- 87년도 요르단은 6만톤, 터키는 17만톤, 이집트는 1만3천톤의 쌀을 수입한바 있는 바, 쌀 지원시 각국의 수요량 등에 따라 결정을 해야 함.
- 또한 쌀 지원시 미 국무부는 별문제가 없으나 미 농무부가 이의를 제기할 가능성이 있음에 비추어 미 국무부가 협의를 거쳐 조속 확정함이 바람직함.

o 상 공 부 :

- 물자지원이 시한을 가지고 있음에 비추어 무엇보다도 품목선정이 우선되어야 함.
- 지원 물품구매를 종합상사를 통해 할 경우, 중소기업체들로부터 반발을 초래할 가능성이 있음.
- In-Kind 지원의 경우 Value Price 산정 주체 등의 문제를 사전 미측과 교섭을 통해 명확히 해 놓아 차후 오해의 소지를 제거할 필요가 있음.

o 교 동 부 :

- 수송지원과 관련 주관부서 선정시 항공기, 선박투입 등 사항은 교통부가 담당하겠으나 계약 및 대금지불은 예산 회계법상 외무부가 담당해야 함.
- 기 수송지원에 대한 대금정산이 하루 속히 이뤄져야 함.
- 쌀 수송시 부대 경비가 엄청나게 드는바 특히 하역관계는 수원국이 담당토록 교섭해야 함(체선료(demurrage charge)는 하루 2만불 상당)
- 현재 미측은 항공수송 수요가 선박수송 수요보다 훨씬 큰 것으로 파악되고 있음.
- 미국은 미 동부해안에서 사우디까지 매주 월.수.금. 주3회 화물수송을 필요로 하고 있으며 이에따라 아국에 대해 주 2회 항공수송 지원을 요청한바 아측은 이미 조치를 취하였음.
- 한편, 선박은 총체적 군장비 수송계획에 따라 아국에 요청 예정이라 함.

끝.

0176

9/12

페르시아灣 事態 關聯 支援 執行 計劃

1990. 9

外　　務　　部

0177

目 次

0178

1. 支援 內容

가. '90 支援 內容(1億 7,000万弗)

1) 多國籍軍 活動 支援 : 9,500万弗

ㅇ 現金支援 : 5,000万弗

ㅇ 輸送支援 : 3,000万弗(航空機 및 船舶)

ㅇ 現物支援 : 1,500万弗(軍服, 毛布, 防毒面等 軍需物資)

90: 1億7仟万弗
1億2仟万弗
[illegible]
[illegible]
+ EDCF 4千万弗
[illegible] 1千万弗
91: 5千万弗.

2) 周邊國 經濟支援 : 7,500万弗

ㅇ 經協支援(EDCF) : 4,000万弗

ㅇ 現物 支援 : 2,450万弗(救護 生必品)

ㅇ 剩餘 쌀 支援 : 1,000万弗(3만톤)

ㅇ 難民 輸送支援 : 50万弗(國際移民機構 支援)

나. 2次分 支援 內容 : 5,000万弗

ㅇ 多國籍軍 活動支援 : 2,500万弗

ㅇ 周邊國 經濟支援 : 2,500万弗

0179

2. 執行 計劃(案) 槪要

가. 槪 要

① 各 主管部署는 關聯部署와 緊密히 協調, 擔當 支援 業務를 推進함.

② 周邊 被害國 經濟支援 豫定額 1億弗을 아래와 같이 配定하고 同 範圍內에서 細部 執行 計劃을 樹立함.

- 이집트 : 4,000万弗
- 터 키 : 3,000万弗
- 요르단 : 3,000万弗(IOM 支援金 50万弗 포함)

* 이집트는 中東에서의 影響力 및 我國과의 修交推進 懸案이 있음을 考慮

* 日本의 경우 周邊 被害國에 대한 經協 20億弗中 緊急 商品借款으로 支援키로한 6億弗을 이집트에 3億, 터키에 2億, 요르단에 1億弗씩 支援 方針.

③ 各 主管部署는 進行事項을 月 2回 外務部(美洲局)에 通報하고, 外務部가 이를 綜合, 靑瓦臺에 報告함.

④ 必要時 周邊 被害國(前線國家 3個國)에 대한 支援 協力을 위해 關係部處 高位 實務級 人士를 前線國家 3個國에 派遣, 關係國과 協議함.

* 日本 카이후 首相은 10.2.-5.間 同 3個國 巡訪 豫定

0180

나. 執行 部署(案)

業 務	主管部署	關聯部署(協調)
總 括	外務部(美洲局)	
豫算措置	經濟企劃院	
現金支援	外務部(美洲局)	財 務 部
輸送支援	交 通 部	外務部(美洲局)
經協(EDCF)支援	外務部(國際經濟局)	財 務 部
쌀 支援	農 水 産 部	外務部(國際經濟局)
防毒面 支援	外務部(中東.阿局)	國 防 部
軍需物資 (軍服, 毛布等)	外務部(中東.阿局)	商工部, 國防部
救護 生必品	外務部(國際經濟局)	商 工 部
難民輸送支援	外務部(領事僑民局)	外務部(中東.阿局)
醫療團 派遣	國 防 部	外務部(美洲局)

0181

3. 多國籍軍 活動 支援 執行 計劃

가. 現金 支援

o 支 援 額 : 美國에 대해 90年中 5,000万弗 支援

o 支援 方法 :

(第 1 案)

美國이 使用한 物資 또는 用役에 대한 代金 精算 形式으로 美側이 具體的 內譯을 提示하는데 따라 支援

(第 2 案)

아무 條件없이 現金 5,000万弗을 美國에 寄附

나. 輸送 支援

o 支援額 : 3,000万弗

o 支援 方法 :

- 航空 輸送 : 週2回 支援(델라웨어州 도버기지-사우디 다란)
- 海運 輸送 : 美側의 具體的 要求 있을시 傭船, 支援

0182

다. 軍需物資 支援

o 支援額 豫算 : 1,500万弗 (輸送費 包含)

o 支援 對象國

- 이집트(19,000名 派兵)
- 시리아(15,000名 派兵)
- 모로코(1,200名 派兵)

* 기타 多國籍軍 參與 GCC 5個國(10,000名)과 파키스탄(5,000名)은 除外

o 選定 事由

- 아랍國中 對이라크에 制裁 主導的 役割
- GCC에 비해 經濟的으로 어려운 狀態

o 國別 支援額

- 이집트 : 700万弗(防毒面 10,000着 支援額 包含)
- 시리아 : 550万弗
- 모로코 : 150万弗

* 輸送料 : 100万弗 豫想

* 支援額 決定時 考慮 事項
  - 多國籍軍에의 派遣 兵力数
  - 이집트, 시리아와의 修交問題 連繫等 政策的 考慮

0183

o 支援 檢討 對象 品目

- 軍服, 防毒面, 軍靴, 毛布等 非殺傷用 軍需物資
- 對象國의 希望 品目 優先 支援 原則
  - 이집트, 모로코와는 我國 大使館을 통해 즉각 交涉 개시

    * 이집트에는 防毒面 10,000個 支援 旣決定
  - 시리아와는 適切한 接觸 公館을 選定, 交涉하되, 修交에 活用

o 輸送 手段 및 輸送 費用

- 一般 航空 利用時 : kg당 約 8弗
- 船舶 利用時 : 콘테이너당 2,000弗 (月 4回 出發, 35日 所要)
- 專貰機 利用時 : 1回 約 47万弗 (90톤 積載이 可能)

o 支援物品 購買 計劃

- 綜合 商社中 1個 業體 選定, 全體 購買 및 선적을 담당토록 措置
  (政策的인 事項인만큼 對策會議에서 隨意契約 可能性 檢討)

라. 對 이집트 防毒面 支援 * 軍需物資支援 豫算의 一部로 包含

o 支援 數量 : 10,000着

o 支援 品目 細部 및 單價

- 1세트 價格 : 107불(76,000원)

  * K1 防毒面 세트, 스페어 정화통, 解毒 주사기 세트로 構成

0184

o 支援 總額

107불 X 10,000개 = 107만불

o 輸送 費用

- 一般 航空 利用時 : 24万弗

  · 全體 包裝 무게 : 약 30톤 (개당 무게 3kg)

  · kg당 輸送 價格 : 약 8弗

- 專貫機 利用時(여타 支援 豫定 軍裝備 包含 輸送)

마. 軍醫療陳 派遣

o 具體的인 執行計劃은 國防部에서 樹立, 施行

o 단, 軍醫療陳 派遣은 憲法 第60條 第2項의 規程에 따른 國會의 事前 同意가 必要한 事項

0185

4. 周邊國 經濟 支援 執行 計劃

가. 對外 經協基金(EDCF) 支援

- o 總 支援額 : 4,000万弗
- o 支援時期 : 可及的 91年末까지 資金 引出
- o 支援 對象國別 支援額(案)
  - 이집트 : 2,000万弗(中東 最大國家로서 對 이라크 制裁에의 積極的 參與 考慮)
  - 터 키 : 1,000万弗(NATO 會員國으로 對 이라크 制裁를 위한 지정학적 重要도 감안)
  - 요르단 : 1,000万弗(요르단의 孤立化 防止로 對이라크 制裁効果 제고)
- o 支援 條件

分類 그룹	分類基準	支援條件	
		金利	償還期間(据置)
I	UN 分類 最貧國	2.5%	25年(7年)
II	'87 1人當 GNP 940弗 以下	3.5%	20年(5年)
III	'87 1人當 GNP 1,940弗 以下	4.2%	20年(5年)
IV	'87 1人當 GNP 1,941弗 以下	5.0%	20年(5年)

※ 이집트는 그룹 II, 터키, 요르단은 그룹 III에 속함.

- o 該當國으로부터 支援要請 接受, 通常的인 節次에 따라 支援

0186

나. 쌀 支援

o 支援額 및 物量 : 1,000万弗(輸送費 包含), 約 3만톤
(各國別 支援 物量은 關係國과의 協議를 거쳐 決定)

o 支援對象國 選定 : 이집트 요르단, 터키중 국산쌀을 必要로 하는 국가
- 쌀 必要國家 把握(이집트는 쌀 輸出國)
- 上記 國家는 쌀이 主食이 아니며 消費하는 쌀(소량)의 種類는 아국의 통일벼와 유사

o 支援方法 : 無償支援
- 糧穀管理 基金에서 缺損處理

o 考慮事項
- 쌀 輸出 또는 貸與, 無償支援時 FAO 剩餘農産物 處理 小委員會(CSD)에 事前通報, 쌀 輸出 利害當事國(美國, 泰國, 濠洲, 베트남等)과 事前協議 必要
- 我國의 對 요르단 支援 쌀이 이라크로 유입되지 않도록 事前 豫防措置

0187

다. 救護 生必品 支援

o 支援額 : $2,450万弗 (輸送費 包含)

o 支援品目 : 醫藥品, 담요, 의류등

o 國別支援 規模(案)

- 이집트 : 1,000万弗
- 터 키 : 700万弗
- 요르단 : 750万弗

라. 國際移民機構(IOM) 支援

o 支援 内譯

- 國際移民機構(IOM)에 50万弗을 特別 寄與金으로 出捐

o 措置 計劃

- 我國의 經濟 與件, 最近의 洪水 被害 및 難民問題의 人道的 解決 等 諸般 與件과 IOM의 要請을 綜合的으로 考慮, 50万弗을 特別 寄與金으로 出捐키로 決定하였음을 駐 제네바 代表部를 통하여 IOM에 通報

0188

- IOM 通報時는 걸프灣 事態以後 我國人 歸國 輸送 및 我國 建設業體 雇傭 外國人 本國 輸送을 위해 總 127万 3千弗이 旣支出 되었음도 아울러 弘報토록 措置

- 特別基金은 同 援助 資金의 國會 追更豫算 處理가 이루어지는 대로 駐제네바 代表部를 통하여 IOM 에 傳達

0189

新資料

페르시아灣 事態 關聯 支援 執行 計劃

1990. 9

外 務 部

0190

目 次

0191

1. 支援 内容

가. 現金 또는 物資 支援 : 2億 2千万弗

(單位 : 万弗)

<table>
<tr><th colspan="2">年 度
支援 内譯</th><th>'90支援(1次分)</th><th>'91支援(2次分)</th></tr>
<tr><td rowspan="4">多國籍軍活動支援</td><td>現金 支援</td><td>5,000</td><td rowspan="3">2,500</td></tr>
<tr><td>輸送 支援</td><td>3,000</td></tr>
<tr><td>現物 支援
(軍需 物資)</td><td>1,500</td></tr>
<tr><td>小 計</td><td>9,500</td><td>2,500</td></tr>
<tr><td rowspan="5">周邊國 經濟支援</td><td>經協 支援</td><td>4,000 (제외)</td><td rowspan="4">2,500</td></tr>
<tr><td>現物 支援
(救護 生必品)</td><td>2,450</td></tr>
<tr><td>剩餘 쌀 支援</td><td>1,000 (7월순)</td></tr>
<tr><td>難民 輸送 支援</td><td>50</td></tr>
<tr><td>小 計</td><td>7,500</td><td>2,500</td></tr>
<tr><td colspan="2">總 計</td><td>1억 7,000</td><td>5,000</td></tr>
</table>

(1억 2,000 예산조치)

0192

나. 軍 醫療陣 派遣

2. 執行 計劃(案) 槪要

가. 槪 要

① 周邊 被害國 經濟支援 豫定額 1億弗을 아래와 같이 配定하고 同 範圍內에서 細部 執行 計劃을 樹立함.

-. 이집트 : 4,000万弗

- 터 키 : 3,000万弗

- 요르단 : 2,000万弗(IOM 支援金 50万弗 包含)

- 방글라데쉬 : 500万弗

- 파키스탄 : 500万弗

* 이집트는 中東에서의 影響力 및 我國과의 修交推進 懸案이 있음을 考慮

② 各 主管部署는 進行事項을 月 2回 外務部에 通報하고, 外務部가 이를 綜合, 靑瓦臺에 報告함.

③ 必要時 周邊 被害國(前線國家 3個國 包含)에 대한 支援 協力을 위해 關係部處 實務 調査團(經企院, 外務部, 財務部, 國防部, 商工部, 農水産部)을 周邊 被害國에 派遣, 協議토록함.

* 調査團 活動 經費는 經濟支援 豫算에서 支出함.

0193

나. 豫 算

o '90年度 追加 更正 豫算에 所要財源 860億원(1億2千万弗) 計上 措置

- 國會 通過後 外務部에서 執行

o 對外 經協基金(4千万弗) 및 쌀 支援(1千万弗)은 別途 豫算 措置 不要

* 今年度 對外 經協基金(EDCF) : 4千万弗

* 쌀 支援 : 糧穀 管理 基金에서 缺損 處理

o '91 支援分 5,000万弗은 91年度 豫備費로 計上 措置 豫定

다. 本 計劃은 最短時日內 國務會議에 報告한後 執行에 着手함.

3. 多國籍軍 活動 支援 執行 計劃

가. 現金 支援

o 支 援 額 : 美國에 대해 90年中 5,000万弗 支援

o 支援 方法 : 美側과 協議를 거쳐 執行

나. 輸送 支援

o 支援額 : 3,000万弗

o 支援 方法 :

- 航空 輸送 : 週2回 支援

- 海運 輸送 : 美側의 具體的 要求 있을시 傭船, 支援

0194

다. 軍需物資 支援

o 支援額 豫算 : 1,500万弗 (輸送費 100만불 包含)

o 支援 對象國 및 支援 規模

- . 이집트(600万弗), 시리아(400万弗), 모로코(100万弗),
  파키스탄(300万弗)等

  * 이집트의 경우, 防毒面 10,000着 支援 包含

o 對象 品目

- 軍服, 防毒面, 軍靴, 毛布等 非殺傷用 軍需物資중 調査團의
  關係國과의 協議 結果에 따라 선정

o 支援物品 購買 計劃

- 可能한 限 中小企業體를 選定, 購買 및 船積을 擔當토록 措置

0195

라. 軍醫療陳 派遣

o 具體的인 執行計劃은 國防部에서 樹立, 施行

o 단, 軍醫療陳 派遣은 憲法 第60條 第2項의 規定에 따른 國會의 事前 同意가 必要한 事項

o 또한 軍醫療陣 派遣이 戰鬪 兵力 派遣으로 連結되지 않도록 美側과 事前 協議, 措置·講究

o 對美 交涉 事項

- 軍醫療陣 配置場所 및 派遣期間
- 我國 軍醫療陣에 대한 指揮 體系 및 診療 對象
- CAMP 位置 및 警戒 要員 必要性 與否
- 醫療 補給品(藥品, 醫療品) 支援 擔當 國家
- 軍診療團員의 衣,食,住 問題
- 病院 施設 問題
- 派遣 準備에서 부터 現地 到着 任務 隨行時 까지 對美 協調 窓口

0196

4. 周邊國 經濟 支援 執行 計劃

가. 對外 經協基金(EDCF) 支援

o 總 支援額 : 4,000万弗

o 支援時期 : 可及的 91年末까지 資金 引出

o 支援 對象國別 支援額(案)

- 이집트 : 2,000万弗(中東 最大國家로서 對 이라크 制裁에의 積極的 參與 考慮)

- 터 키 : 1,500万弗(NATO 會員國으로 對 이라크 制裁를 위한 지정학적 重要度 감안)

- 요르단 : 500万弗(요르단의 孤立化 防止로 對이라크 制裁効果 제고)

o 該當國으로부터 支援要請 接受, 通常的인 節次에 따라 支援

나. 쌀 支援

o 支援額 및 物量 : 1,000万弗(輸送費 包含), 約 3만톤

0197

o 支援對象國 및 支援 規模 決定 : 이집트, 요르단, 터키, 필리핀中 調査團의 協議 結果를 土臺로 支援 對象國家, 規模等 確定

o 支援方法 : 無償支援

- 糧穀管理 基金에서 缺損處理

다. 救護 生必品 支援

o 支援額 : 2,450万弗 (輸送費 包含)

o 支援品目 : 醫藥品, 담요, 의류등

o 國別支援 規模(案)

- 이집트 : 1,000万弗
- 터 키 : 550万弗
- 요르단 : 300万弗
- 방글라데쉬 : 300万弗
- 파키스탄 : 300万弗

0198

라. 國際移民機構(IOM) 支援

o 支援 內譯

- 國際移民機構(IOM)에 50万弗을 特別 寄與金으로 支援

- 제네바 所在 IOM 本部에 旣通報

o 또한, 我國 僑胞 및 勤勞者 本國 輸送을 위해 別途로 總127万 3千弗이 旣支出 되었음도 國際移民機構에 弘報토록 措置

添附 : 支援 業務 執行部處(案). 끝.

0199

添附

支援業務 執行 部處(案)

業　　務	主管部署	關聯部署(協調)
總　括	外務部	
豫算措置	經濟企劃院	
現金支援	外務部	經濟企劃院, 財務部
輸送支援	外務部, 交通部	
o 經協(EDCF)支援	外務部, 財務部	
o 쌀 支援	農水産部	外務部
防毒面 支援	外務部	國防部, 商工部
軍需物資 (軍服, 毛布等)	外務部	國防部, 商工部
o 救護 生必品	外務部, 商工部	
難民輸送支援	外務部	
醫療團 派遣	國防部	外務部

0200

駐쿠웨이트 公館員 이라크 出国

1990. 9

外　　務　　部

0201

이라크側의 出國 不許로 바그다드에 滯留中이던 駐쿠웨이트 소병용 大使等 公館員 4名이 9.25 이라크 政府의 出國 承認을 받아 9.28(金) 새벽(서울時間) 요르단에 到着할 豫定임을 報告드립니다.

経 緯

- 我國政府, 유엔 決議 尊重 및 美國等 友邦國과 共同 보조를 취하여 이라크側 撤收 時限인 8.24 以後에도 駐쿠웨이트 大使館 繼續 維持 決定
- 斷電, 斷水, 通信杜絶 등으로 公館員들의 身邊 危險 및 고초가 極甚함을 考慮 駐쿠웨이트 殘留 公館員 4名 9.2字 撤收 指示(바그다드로 移動)
- 이라크 政府, 8.24 以後 撤收한 쿠웨이트 外國 公館員의 出國 不許 方針 通報
- 駐韓 이라크 大使 2回 外務部 召還 및 駐이라크 大使館 現地에서 9回 交涉 實施
- 이라크 政府, 9.25 出國 承認 方針 通報
- 公館員 4名, 9.27 正午(서울時間) 陸路로 요르단 向發 豫定

0202

分析 및 評価

ㅇ 이라크 政府는 撤收 時限인 8.24以後 쿠웨이트 公館을 維持한 我國等 24個國에 대한 報復으로 撤收 公館員의 出國을 不許하여 왔는바, 이번에 我國에 대하여 公館員 出國을 許容한 것은 다음과 같이 分析됨

- 9.3 以後 서울과 바그다드에서 10회 以上의 積極的 交涉

- 我國은 쿠웨이트 駐在 我國 公館 職員의 出國에 影響을 미칠 것을 考慮, 이들 職員의 撤收가 公館폐쇄가 아니라 暫定的인 業務中斷임을 밝히는 聲明을 發表하지 않았는 바, 이러한 措置가 이라크 政府에 의하여 評價된 것으로 보임.

- 이라크側의 出國 許容 決定이 9.24 我國의 걸프 事態 經費 分擔 發表後에 이루어진 事實로 미루어 現在로서는 我國에 대한 從來 政策에 變動이 없는 것으로 보임

- 國內 言論과의 원활한 協調를 통해 公館員 바그다드 滯在 事實의 長期間 保安 維持로 조용한 解決이 可能하였음

0203

今後 措置 事項

o 出國 關聯 政府 立場 表明

- 我國은 이라크의 쿠웨이트 併合을 認定하지 않으며 駐쿠웨이트 大使館 暫定 業務 中斷 措置가 我國의 유엔 安保理 關聯 決議 遵守 立場에 變化를 意味하지 않는다는 要旨의 立場은 質問이 있을시 當局者 名義로 밝힘(公館員 撤收 完了後)

o 殘留 我國人 撤收 努力 持續

- 現在 이라크에는 167名의 我國人이 아직 殘留中인바(쿠웨이트 我國人 撤收는 事實上 完了), 殘餘 我國人 早速 撤收 努力 繼續

- 駐이라크 大使館 人員 縮小, 殘留 我國人 身邊 安全 保護 및 緊急待避 計劃 마련

- 끝 -

0204

주 쿠웨이트 대사관 활동 잠정중단 관련 외무부 대변인 발표

대한민국 정부는 주 쿠웨이트 대사관의 활동을 잠정 중단하기로 결정 하였다. 이 조치는 현지사태 악화로 대사관의 기능 수행이 물리적으로 불가능하게 된 것으로 판단되어 취한 것이다.

소병용 대사와 공관원은 9.28 요르단 암만에 도착 하였다.

0205

THE GOVERNMENT OF THE REPUBLIC OF KOREA HAS DECIDED TO SUSPEND TEMPORARILY THE FUNCTION OF THE EMBASSY OF THE REPUBLIC OF KOREA IN KUWAIT.

THIS MEASURE HAS BEEN TAKEN IN CONSIDERATION OF THE DETERIORATED SITUATION IN KUWAIT WHICH MADE THE EMBASSY UNABLE TO CONDUCT ITS NORMAL FUNCTION.

AMBASSADOR BYUNG-YONG SOH AND THE STAFFS OF THE EMBASSY OF THE REPUBLIC OF KOREA IN KUWAIT ARRIVED IN AMMAN ON SEPTEMBER 28, 1990

0206

주 쿠웨이트 대사관 잠정 업무 중단

1. 경 위

ㅇ 이라크 정부는 8.8. 쿠웨이트 병합 발표후 쿠웨이트 주재 전 외국공관 8.24한 폐쇄 요구

ㅇ 유엔 안보리, 쿠웨이트 병합 무효 결의 662(8.9)

ㅇ 아국정부, 유엔 안보리 결의 662 존중 방침 표명
주 쿠웨이트 대사관 불폐쇄 입장 천명 (8.9. 외무차관 기자회견)

ㅇ 이라크 정부, 8.24 이후 쿠웨이트내 모든 외교관에 대한 외교 특권 박탈

ㅇ 이라크, 주 쿠웨이트 아국 공관에 대하여 8.27 부터 단전, 단수, 조치
아국공관 비상 통신기 고장으로 통신 두절
- 대사관, 우방국 공관 경유 보고

ㅇ 정상근무 불가능 상태 판단, 공관원 신변안전을 우려, 9.2. 소병용 대사등 공관원 전원 주 이라크 대사관으로 철수
- 쿠웨이트 잔류 아국교민 3명에게 잠정 관리 위임

ㅇ 소병용 대사등 주 쿠웨이트 공관원 출국을 위하여 이라크 정부와 교섭
- 주 이라크 대사관 9회 이라크 당국과 접촉
- 9.11. 주한 이라크 대사대리 외무부 초치,
- Ghazal 대사대리로 하여금 본국 정부에 본건 청훈토록 강력 요청

ㅇ 이라크 정부, 소병용 대사등 주 쿠웨이트 대사관 공관원 3명 전원 출국 승인

ㅇ 동 일행 9.27. 12:00(한국시간) 바그다드에서 육로편 요르단 향발, 9.28 01:00(한국시간) 암만 도착

2. 주 쿠웨이트 대사관 잠정 업무 중단 관련 정부 입장 (기자 질문시 언급)

ㅇ 동 조치와 관련, 이라크의 쿠웨이트 병합을 무효로 규정한 유엔 안보리 이사회 결의(662, 8.9)를 준수하는 대한민국 정부의 기본 입장에 아무런 변동이 없음을 밝힘

0207

정 리 보 존 문 서 목 록					
기록물종류	일반공문서철	등록번호	2021010233	등록일자	2021-01-28
분류번호	721.1	국가코드	XF	보존기간	영구
명 칭	걸프사태 : 대책 및 조치, 1990-91. 전11권				
생 산 과	중동1과/북미1과	생산년도	1990~1991	담당그룹	
권 차 명	V.4 1990.10-12월				
내용목차					

0001

國會 外務統一委 報告資料

最近 中東事態와 우리의 對應策

1990. 10. 5.

外 務 部

앙고제		90년 10월 5일	담 당	과 장	심의관	국 장	차관보	차 관	장 관
						전결			

0002

1. 事 態 現 況

o 最近 걸프事態는

- 이라크가 사우디 國境 隣接에 36萬名의 兵力과 2,800대의 戰車를 配置한 反面
- 反 이라크側은 16만의 美地上軍을 包含 26만명의 多國籍軍 兵力과
- F 117 戰鬪機(Stealth Bomber)等 最尖端 武器 配置를 完了함으로써
- 軍事的으로 兩側間 重武裝 代置狀況에 있어 何時라도 軍事行動에 들어갈수 있는 態勢가 完備됨

o 이라크는 쿠웨이트 倂合을 旣定 事實化 하기 위하여

- 사담 후세인 大統領이 쿠웨이트市를 訪問 (10.3)
- 그간 大擧 移住시킨 이라크와 팔레스타인人을 격려하는등
- 쿠웨이트의 將來를 國民投票로 決定할 경우에도 對備하고 있으며
- 多國籍軍의 武力行使 素地를 極力 回避하는 한편
- 사우디, 유엔에 대하여 國際會議 開催를 提議 하면서,
- 國際的 孤立 脫皮와 經濟 封鎖 打開에 努力하고 있음

o 美國을 비롯한 反 이라크側은

- 最近 이라크 外交官 報復 追放에 이어 英國, 불란서의 사우디 派兵(9.29), 시리아, 이집트軍의 兵力 增派等
- 多國籍軍의 軍事力을 增强시키는 가운데 유엔 安保理에서 對 이라크 空中 封鎖를 決議(9.25)
- 軍事的, 經濟的 壓力을 加重하고 있음

0003

o 最近 同 事態 解決을 위한 外交 努力을 보면,

- 미테랑 불란서 大統領이 사우디, UAE를 訪問(10.4)하였으며
- 日本의 가이후 總理가 요르단(10.4)등을 訪問 한데 이어
- 蘇聯의 고르바쵸프 大統領 特使가 中東을 訪問(10.3)하는 한편
- 사담 후세인 이라크 大統領은 라마단 第1副總理를 特使로 요르단에 派遣(10.3)하여
  (手記: 장기작업 / 을 위한 막후 接觸 [illegible]을 하고 있음.)
- 事態의 外交的 解決 努力을 기울이고 있는 가운데
- 부쉬 美 大統領의 對유엔 演說에서 (手記: 그러나)
  "걸프事態가 우선 外交的으로 解決되기를 希望한다"고 밝히는 一方
  (手記: 는 平和方式을 선호하므로 / 기본방침 / 10月 軍事行動 [illegible] 他는 排除 / 군사행동)
  (手記: 부쉬 美大統領은)
  만일의 戰爭 勃發에 對備 對 議會 로비를 强化하고 있음
  (手記: 미국입장)

(手記:
• 사우디를 비롯한 GCC 國家들이 早速한 軍事的 解決을 希望하고 있고
- 美軍部의 主戰論者의 主張에 따라
- 또는 10.18 (조건이 유리한 그믐달) 武力行使 可能性이 크게 擡頭하고 있는데
• 대두)

2. 分析 및 展望

o 現 時點에서 美國은

- 對 이라크 經濟 封鎖 强化에 注力하며
- 年末傾 까지 經濟 封鎖 效果를 再檢討 하여
- 封鎖 繼續 또는 軍事 行動의 必要性 與否를 決定하게 될 것으로 보이며
  (手記: - 軍事行動을 [illegible] 경우도 [illegible] 美主導 방식으로 이루어 질 것임)

o 이라크의 經濟 封鎖 打開 努力에도 不拘,

- 多國籍軍 參與가 積極化 되고 費用分擔이 實效를 거두게 되는 경우 (手記: 고 있어)
- 封鎖 效果는 今年 末까지는 나타날 것으로 보이며,
- 그 時點에서 이라크는 撤軍을 前提로 한 妥協을 摸索할 可能性이 있음

0004

o 美國도 攻擊 態勢를 갖추었음에도 不拘하고

- 많은 西方 人質, 油田 被擊時 世界經濟에 미칠 影響, 擴戰憂慮등 制約 要因이 많으므로
- 軍事的 解決을 試圖하기 보다는 莫强한 軍事力을 背景으로
- 蘇聯과 協調, 이라크의 屈伏을 强要하므로써
- 事態의 政治的 解決에 注力할 것으로 보임

~~o 그러나 부쉬 美 行政府로서는~~

- ~~同 事態가 自國의 經濟에 미치는 影響과 國內 輿論의 動向을 分析하며,~~
- ~~11月6日의 中間 選擧를 意識하여,~~
- ~~可及的 그 以前에 쿠웨이트로 부터 이라크軍을 撤收시키기 위하여 對 이라크 軍事的, 外交的 壓力을 倍加할 것으로 보이며,~~
- ~~事態의 平和的 解決 展望이 보이지 않을 경우,~~
- ~~最後 手段으로 유엔 安保理에서 軍事制裁 追加 措置를 決議,~~
- ~~유엔의 旗幟下에 美.蘇 協力을 통해 事態의 軍事的 解決을 試圖할 可能性도 있음~~

3. 우리의 對應策

가. 經費 分擔

1) 美側 支援 要請

o 美側은,

- 美國의 中東 派兵으로 每月 約 30億弗의 軍事經費가 所要되고,

0005

- 對이라크 制裁措置 參加로 經濟的 被害를 입고 있는 周邊國家
  援助에 今年中 35億弗, 來年中 70-80億弗 所要될 것이므로
- 우리나라가 北韓과의 緊張狀態 持續으로 어려움이 있겠으나
  經濟的 發展等을 감안하여
- 總 3.5億弗의 支援을 提供하여 줄것을 要請하여 왔으며
- 또한 醫療團 派遣 問題도 檢討를 要望하여 옴

2) 支援 決定時 考慮事項

o 安保的 側面으로는

- 武力에 의한 領土紛爭 解決 企圖를 容認하지 않음으로써
  . 韓半島 有事時, 國際社會의 支援과 共同介入의 先例를
    確立함과 아울러
- 韓.美 安保協力 關係를 持續하고
  . 駐韓 美軍 維持, 防衛費 分擔問題 關聯, 美 言論과 議會內
    批判 輿論에 對備함.

o 外交的 側面으로는

- 유엔 安保理 決議를 遵守하여
  . 韓國戰爭時 集團措置 受惠國으로서의 道義的 義務를 履行하고
- 우리나라의 伸張된 國威에 副應한 國際平和 維持 努力에 一翼을
  擔當함은 물론
- 中東 地域內 周邊 被害國들과의 友好關係를 增進함

0006

o 經濟.通商 側面으로는

- 事態의 早速한 解決을 通한 安定的인 原油 供給先 確保와
- 對中東 建設等 經濟進出 再開를 期待함

3) 我國의 支援 內容

o 總支援 規模는

- 우리나라의 現 安保狀況 및 經濟 能力을 감안하여 2億 2千萬弗을 支援함

(單位 : 億弗)

	韓 國	日 本	西 獨
多國籍軍 活動 支援	1.2	20	12.5
周邊國 經濟 支援	1	20	7.9
計	2.2	40(18배)	20.4(9배)

* 89年度 GNP 規模(億弗)

韓國 : 2,101, 日本 : 28,337(13.5배), 西獨 : 12,008(5.7배)

o 細部的인 支援 方法으로는

- 多國籍軍 活動 支援은 現金, 輸送, 現物 支援으로 하고
- 周邊國 經濟支援은 經協, 現物, 剩餘쌀, 難民 輸送支援으로 構成함

* 現金 支援보다는 國內 可用物資, 서비스 提供과 對外經濟 協力 基金(EDCF) 4,000萬弗을 活用 豫定임.

0007

o 90年度 財源計劃과 執行은

- 今年度 追更豫算에 反映하고,
- 周邊國 經濟支援中 經協基金 事業은 事業 選定 作業에 즉시 着手하며
- 剩餘쌀 志願을 위한 糧穀 基金事業도 早速히 執行, 推進함

4) 其他 要請 事項에 대한 檢討

o 美側의 醫療團 派遣 要請에 대해서는 肯定的으로 檢討함

나. 僑民 撤收

o 10.5 現在 僑民 撤收 現況은

- 그간 이라크 當局 및 關聯國家들과의 外交交涉과 我國 公館의 努力으로
- 지금까지 1,160여명을 安全하게 撤收시켰고
- 現在 殘留僑民은 쿠웨이트에 9명 이라크에 公館員 包含 150여명등 總 160여명이 殘留하고 있음

o 現在 쿠웨이트 殘留 僑民은

- 公館의 撤收 勸誘에도 不拘하고 本人들이 끝까지 殘留하기를 希望하는 僑民들임을 參考로 말씀드리며,
- 쿠웨이트 僑民 撤收는 事實上 完了 되었다고 報告 드릴수가 있음

o 이라크에 있는 150여명의 僑民은

- 大部分 進出業體 所屬 勤勞者들로서,

0008

- 所屬 業體等과 緊密히 協議,

  이라크 發注處 承認과 出國 手續이 끝나는대로

  迅速하고 安全하게 撤收되도록 萬全을 다할것임

o 完全 撤收시까지의 安全 對策으로서,

- 自體 警備 强化와 身邊 安全措置를 講究하고 있으며,

- 또한 燃料, 食糧, 食水等 備蓄分이 있어 基本的 必需品을

  確保하고 있으나

  . 必要時, 醫藥品, 非常食品等을 特別支援하는 方案도 講究하고 있음

o 政府는 또한 避難 撤收僑民의 事後對策으로

  . 無依托 撤收僑民 251명에 대한

  航空料 및 經由地 滯在費등을 豫備費에서 支援하기로 위해

  關係部處와 協議中에 있으며

  . 定着에 必要한 融資金, 就業 斡旋도 周旋하고 있음

다. 駐 쿠웨이트 公館 維持

o 정부는

o 이라크 政府의 8.24한 쿠웨이트 駐在 外國公館 閉鎖 要求에 불구,

- 유엔 安保理 決意 662에 따라 公館을 閉鎖치 않고 維持하였으나

o 이라크는 8.24 以後

- 쿠웨이트內 모든 外交官에 대해

  一切의 外交特權을 剝奪 하였으며

0009

- 8.29부터 斷電, 斷水 措置로 45℃ 以上되는 무더운 날씨에
  公館員들의 苦痛이 極甚하였으며
- 斷電으로 交信도 杜絶되어 一時 友邦國 公館을 통하여 報告를
  해오는 實情 이었음

o 正常勤務가 不可能한 狀態 下에서

- 公館員의 健康과 安全이 憂慮되어
- 9.2. 소병용 大使를 包含 公館員 4명을 일단 駐 이라크 大使館으로 撤收,
- 이라크 政府의 出國 승인을 받아 9.30 잠정 귀국시키고
- 大使館 및 館邸는 現地僑民 3인에게 管理를 依賴 하였음

o 駐 쿠웨이트 公館員 原隊 復歸 問題는

- 事態 解決 推移를 觀望하여
- 適切한 對應策을 講究할 豫定임

o 駐 이라크 大使館에 대하여는

- 現在 이라크에는 建設業體 必須要員을 除外한 大部分의 僑民이
  撤收한 狀態이고
- 對 이라크 經濟 封鎖등으로 生必品 購入등이 어려운 狀況에 있어
- 戰爭 勃發等 非常事態에 對備
- 最小 必須要員을 除外한 公館員을 緊急 撤收토록 하였음. 끝.

0010

外務統一委員會 開催

'90.10.5(行政)

1. 日　時 : 10.8(月), 14:00

2. 場　所 : 外務統一委員會 會議室

3. 案　件 : 最近 韓半島 周邊情勢에 關한 報告
(韓.蘇關係, 韓.中關係, 日.北韓關係, 유엔關係,
最近 中東事態, 우루과이라운드 關係)
(아국 시원)

0011

폐만 사태 관련 경제지원 검토

경협 2 정용칠 ℃

1. 쌀

   o 지원 물량 : 3만톤($1,000만 상당)

   o 지원대상국 선정 : 이집트, 요르단, 터키중 국산쌀을 필요로 하는 국가

   - 쌀 필요국가 파악(이집트는 쌀 수출국)

   - 상기 국가는 쌀이 주식이 아니며 소비하는 쌀(소량)의 종류는 아국의 통일벼와 유사

   o 지원방법 : 무상지원

   - 양곡관리 기금에서 결손처리

   o 고려사항

   - 쌀 수출 또는 대여, 무상지원시 FAO 잉여농산물 처리 소위원회(CSD)에 사전통보, 쌀 수출 이해당사국(미국, 태국, 호주, 베트남등)과 사전협의 필요

   - 미국이 쌀 지원을 반대할 경우 취소

2. 대외경협기금(EDCF) 지원

   o 지원규모 : $4,000만

   o 국별 지원규모(안)

   - 이집트 : $1,500만(중동 최대국가로서 대 이라크 제재에 동국의 적극적 참여 고려)

   - 터 키 : $1,500만(NATO 회원국으로 대 이라크 제재를 위한 지정학적 중요도 감안)

   - 요르단 : $1,000만(요르단의 고립화 방지로 대 이라크 제재 효과 제고)

0012

ㅇ 지원 조건

분류 그룹	분 류 기 준	지 원 조 건	
		금 리	상환기간(거치)
I	UN 분류 최빈국	2.5%	25년(7년)
II	'87 1인당 GNP 940불 이하	3.5%	20년(5년)
III	'87 1인당 GNP 1,940불 이하	4.2%	20년(5년)
IV	'87 1인당 GNP 1,941불 이하	5.0%	20년(5년)

※ 이집트는 그룹 II, 터키, 요르단은 그룹 III 에 속함.

ㅇ 지원국 및 규모 결정후 해당국으로부터 지원요청 접수, 통상적인 절차에 따라 지원

3. 구호 생필품

ㅇ 지원규모 : $2,450만

ㅇ 지원품목 : 의약품, 담요, 의류등 하기 국가가 필요로 하는 생필품

ㅇ 국별지원 규모(안)

- 이집트 : $1,000만
- 터 키 : $750만
- 요르단 : $700만

※ 상기 3개 지원 수단의 국별지원 규모는 방독면, 군장비등 지원 규모에 따라 재조정 필요

0013

국제이민기구 (IOM) 지원 계획

(해 외 이 주 과)

1. 지원 목적 : ㅇ 걸프만 사태로 야기된 난민 수송 지원
ㅇ 난민 문제 해결을 위한 국제협력사업 동참으로 아국의 대외 이미지 고양

2. 지원 내역 : ㅇ 국제이민기구 (IOM) 에 50만불을 특별 기여금으로 출연

3. 조치 계획 : ㅇ 주제네바 대표부에 아국의 경제 여건, 최근의 홍수 피해 및 난민 문제의 인도적 해결등 제반 여건과 IOM 의 요청을 종합적으로 고려, 50만불을 특별 기여금으로 출연키로 결정하였음을 알리고 이를 IOM 에 통보하도록 조치

ㅇ IOM 통보시는 걸프만 사태이후 아국인 귀국 수송 및 아국 건설업체 고용 외국인 본국 수송을 위해 총 127만 3천불이 기지출되었음도 아울러 홍보토록 조치

4. 송금 조치 : ㅇ 50만불의 특별 기여금은 걸프만 사태에 직.간접으로 관련된 당사국에 대한 원조 자금의 일부로 충당되는 만큼 동 원조 자금의 국회 추경예산 처리가 이루어진 이후 주제네바 대표부에 송금하여 IOM 에 전달토록 조치

0014

"페"湾 事態 関聯 支援 執行計劃(案)

1990. 10. 6

対 策 班

0015

1. 既 措置事項

가. 9.27 當部 主管 關係部處 對策會議

- 支援 執行 計劃에 關한 具體的 協議

나. 9.29 페灣事態 關聯 支援執行計劃(案) 靑瓦台 報告

다. 9.29 上記 計劃(案)을 駐韓 美國大使館側에 槪略的 通報

라. 經濟企劃院은 860억원(1.2億弗相當)을 추경예산에 水災對策費와 함께 預備費로 상정 措置中

마. 其他 措置

- 9.23 次官, 김영삼, 박태준, 김종필 民自党 代表와 金大中 平民党 総裁에게 事前 説明
- 9.24 対策班長, 박정수 外交統一委員長에 事前 説明
- 9.24 主要 日刊誌 논설진에 事前 説明 및 資料 提供

바. 9.25 次官, 民自黨 國際關係委員會(委員長 정재문)에 午餐 報告

0016

2. 向後 措置計劃

가. 10.8(月) 14:00 國會外務統一 委員會에 "中東事態" 情勢 報告 豫定

나. 10.10(水) 15:00 次官會議에 支援 執行 計劃案의 概略的 報告 豫定

다. 10.11(木) 15:00 國務會議에 支援執行計劃案의 概略的 報告 豫定

라. 支援執行計劃에 關한 美國側과의 概括的 事前 協議 豫定

- ㅇ 駐韓 美大使館과 協議
- ㅇ 페灣事態 分擔金 供與國 第2次 會議 參加 豫定 (10.12, 워싱턴)

마. 10.13 또는 17 副總理주재 對策會議(當部는 支援 執行計劃 報告 豫定)

바. 被支援 戰線 3個國(이집트, 요르단, 터어키)에 關係部處 實務團 派遣, 수혜국의 所要 把握

0017

사. 國會의 추경예산 通過와 同時에 外務部 所管 "外交活動費"로 執行計劃을 國務會議에 상정

아. 今年度内 豫算執行

1.2億弗相当 外交活動費

1,000万弗 相当 糧穀援助(양북기금)

4,000万弗 相当 対外協力基金(具体的 事業 協議 着手)

자. 對策班(別添案) 構成. 支援計劃 執行

0018

(별 첨)

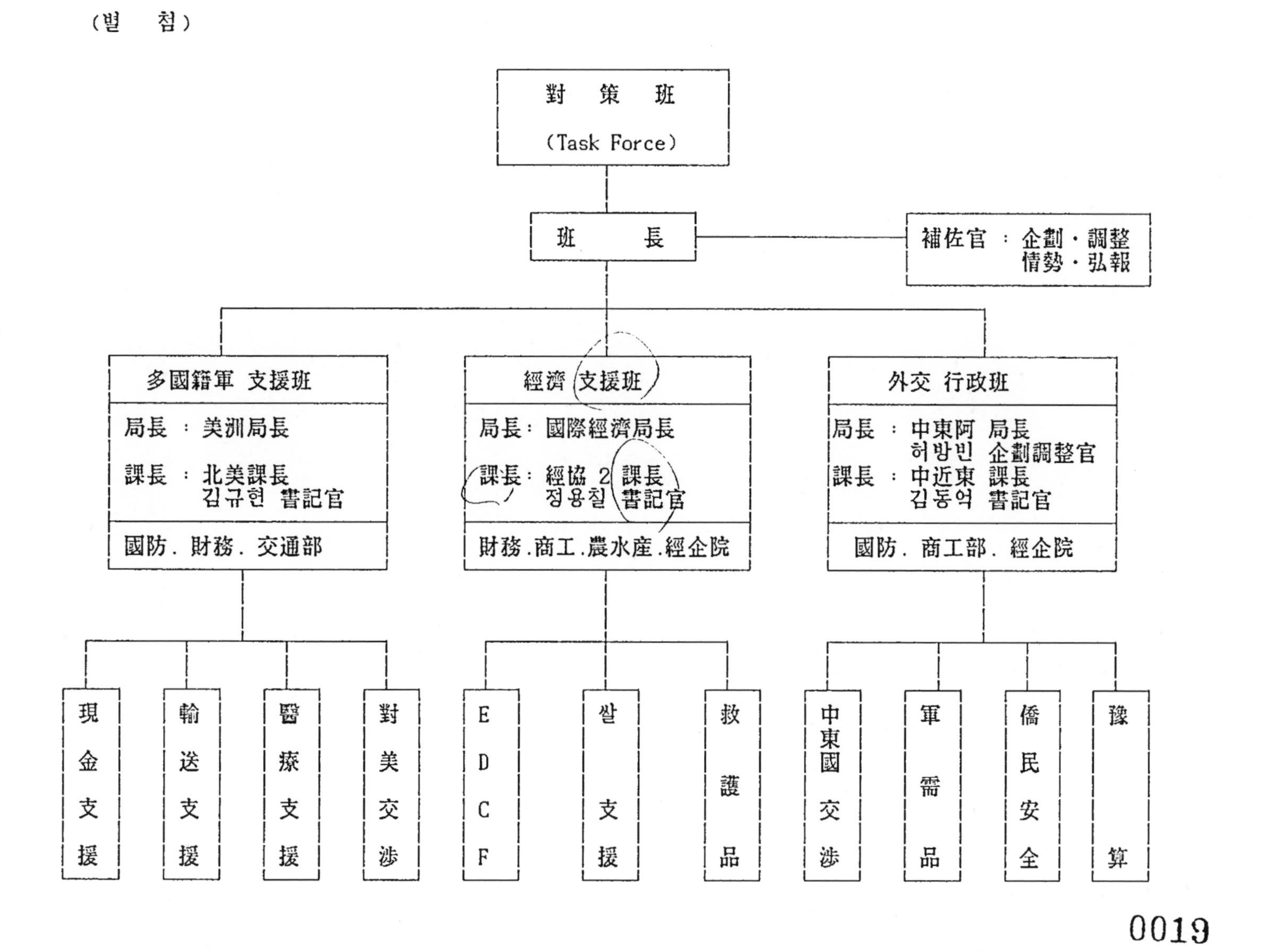

對 策 班
(Task Force)
班 長
補佐官 : 企劃·調整
情勢·弘報
多國籍軍 支援班
局長 : 美洲局長
課長 : 北美課長
김규현 書記官
國防. 財務. 交通部
經濟 支援班
局長 : 國際經濟局長
課長 : 經協 2 課長
정용칠 書記官
財務.商工.農水産.經企院
外交 行政班
局長 : 中東阿 局長
허방빈 企劃調整官
課長 : 中近東 課長
김동억 書記官
國防. 商工部. 經企院
現金支援
輸送支援
醫療支援
對美交涉
EDCF
쌀 支援
救護品
中東國交涉
軍需品
僑民安全
豫算

0019

國會 外務 統一委員會 豫想 質疑 答辯 資料

(페르시아灣 事態 關聯)

1990. 10. [8]

美 洲 局

0020

目 次

0021

1. 페르시아灣 事態 關聯 我國의 經費 支援 內容

(美國의 要請)

ㅇ 9.7. 브래디 美 財務長官은 盧泰愚 大統領을 禮訪하고, 페르시아灣 事態와 關聯, 多國籍軍 活動을 위한 經費 分擔 및 對 이라크 經濟 制裁措置 參與로 被害를 입고 있는 國家들에 대한 經濟的 支援을 위해 我國이 3億 5千万弗을 支援해 줄것을 要請

(支援 內譯)

年度 / 區分	1990年	1991年	計
多國籍軍 活動支援	9,500万弗	2,500万弗	1億 2,000 万弗
周邊被害國 經濟支援	7,500万弗	2,500万弗	1億弗
計	1億7,000万弗	5,000万弗	2億 2,000万弗

* 이와는 別途로 醫療團 派遣을 肯定的으로 檢討함.

1 0022

(支援 內容의 特徵)

o 금번 支援의 形態를 現金 支援보다는 可及的 物資 및 서비스 中心으로 하여 我國 經濟에 도움이 되는 方向으로 하였으며, 이중 상당 부분은 旣存 對外 經協 基金(EDCF)을 활용하여 追加 財政 負擔을 줄였음.

2. 我國의 支援 必要性

(安保 問題)

- 武力에 의한 領土紛爭의 解決이 容認될 경우 장래 韓半島 安保環境에 큰 危害가 될 것인바, 금번 中東 事態가 多國籍 努力으로 解決되면 韓半島의 有事時 國際社會의 共同 介入을 통한 平和 回復을 期待할 수 있고, 韓半島에서 武力 挑發 可能性을 事前 豫防하는 効果도 期待할 수 있음.

- 我國의 支援이 未洽할 경우, 駐韓美軍 維持, 防衛費 分擔等 韓.美 安保協力 關係에 있어서 美 議會 및 言論의 批判 與論이 일어날 可能性이 있음.

(經濟.通商 側面)

- 我國은 89年度 46億 8,553万弗 상당의 原油를 導入하였으며, 我國의 對中東 原油 依存度는 75%임. 原油의 순조로운 需給도 중요하거니와 中東事態로 인하여 油價가 不安定하게 되는 경우 우리의 經濟에 주는 打擊은 막심할 것임. 예컨데 原油가 배럴당 10弗 安定되면 우리의 原油 導入額이 33億弗 節減되어 我國은 支援額을 크게 上廻하는 利益을 보게 됨.

3

0024

(外交的 考慮)

o 6.25. 事變時 유엔의 도움을 받은 우리나라로서는 對이라크 共同制裁에 관한 유엔 決議에 積極 參與해야 할 道義的 義務가 있으며, 이는 我國의 유엔 加入 政策과도 符合됨.

o 我國의 伸張된 國威에 副應하여 國際 平和 維持 努力에 一翼을 擔當해야 할 것이며, 我國의 支援이 微溫的일 경우, 經濟的 利益만 追求한다는 國際的 非難 可能性도 考慮해야 함.

o 長期的인 觀點에서 사우디, UAE 等 中東 友邦國들과의 共同 步調 및 周邊 被害國들과의 友好 關係 增進을 圖謀할 必要가 있음.

3. 我國 支援規模의 算定根據

o 9.7. 브래디 美 財務長官이 我國 政府에 支援 要請한 額數는 3億 5千万弗로서, 이는 日本.西獨 等 支援規模의 GNP 對比 比率로 計算할 경우 韓國의 GNP 規模에 거의 相應하는 分擔 規模임.

- 즉, GNP에 있어서 日本은 韓國의 13.5培, 西獨은 5.7培이며, 우리가 미측 要請대로 3億 5千万弗을 支援할 경우 支援 規模에 있어서 日本은 우리의 11.4培, 西獨은 우리의 5.7培가 됨.

o 그러나 政府는 國內 經濟의 어려움, 防衛費 分擔, 특히 最近의 洪水 被害 復舊를 위한 緊急 財政 需要 等을 감안, 美側 要請額의 2/3 水準인 2億 2千万弗을 支援키로 決定한 것임.

o 이러한 支援規模는 우리가 國內的으로 어려움이 있기는 하지만, 페르시아灣 事態의 解決에 걸려 있는 우리의 막대한 經濟.外交.安保的 利害關係를 考慮할 때 우리가 分擔해야 할 水準이라고 봄.

첨 부 : 1. 日本, 西獨과 我國의 國力 對比

2. 各國의 支援 規模

5 0026

(添　附)

1. 日本, 西獨과 我國의 國力 對比

	韓國	日本		西獨	
			韓國對比		韓國對比
支援 規模(億弗)	2	40	20 배	20.8	10 배
GNP (億弗)	2,101	28,337	13.5배	12,008	5.7 배
1인당 GNP(弗)	4,127 (88年)	23,317 (88年)	6 배	19,741 (88年)	5 배
交易 規模(億弗)	1,239	4,940	4 배	6,112	5 배
外換 保有(億弗)	152	851 (89.9)	5.5배	533 (88年)	3.5 배
經常 黑字(億弗)	51	568	11 배	555	11 배
中東原油導入 (億 배럴)	2.47	11.40		0.96	

6

0027

2. 各國의 支援 現況 (90.9.20)

國 家	經濟的 支援	軍事的 支援
日 本	40億弗 - 多國籍軍 20億	 非戰鬪員 2,000名 派遣 檢討
西 獨	20.8億弗(33億 마르크) - 多國籍軍 10.1億弗 - 前線國家 8億弗 - EC 基金 2.6億弗	艦艇5隻 (掃海艇 4, 補給艦 1)
E C	20億弗	
英 國	EC 次元 共同 步調	6,000名, 7隻, 40臺
불 란 서	"	13,000名, 14隻, 100臺
이 태 리	1.45億弗(1次 算定額), "	艦艇5隻
벨 기 에	EC 次元 共同 步調	掃海艇2隻, 補給艦 1隻
네덜란드	"	프리깃艦 2隻
스 페 인	"	艦艇3隻
폴 투 갈	"	艦艇1隻
그 리 스	"	艦艇1隻

7

0028

國　家	經濟的 支援	軍事的 支援
濠　洲	8百万弗(難民救護)	艦艇3隻, 醫療陣 20名
노르웨이	2,100万弗	
카 나 다	6,600万弗	艦艇3隻, 戰鬪機 中隊
G.C.C.國	사 우 디 : 60億弗 쿠웨이트 : 40億弗 U.A.E. : 20億弗	이집트 : 19,000名 모로코 : 1,200名 시리아 : 15,000名 GCC5국 : 10,000名
아시아國		방글라데시 : 5,000名 파키스탄 : 5,000名 인도네시아 : (派兵 用意)

* 美國 : 兵力 155,000名, 艦艇 48隻, 航空機 150臺

蘇聯 : 戰艦 1隻, 對潛艦 1隻을 派遣하였으나 多國籍軍에는 不參

4. 我國 支援 經費의 執行 計劃

(支援 經費의 使用 計劃)

- o 多國籍軍 活動 支援 經費 1億 2千万弗은 주로 美國과 協調, 多國籍軍의 需要에 따라 現金, 輸送機 및 輸送船, 軍需物資等을 支援할 豫定

- o 또한 周邊 被害國 經濟 支援金 1億弗은 "페"灣 事態 關聯 支援國間 協議體인 供與國 調整 委員會 및 周邊 被害國과 緊密히 協議하여 執行할 豫定

- o 美國 및 周邊 被害國과 具體的 支援 問題 協議를 위해 必要時 關係部處 實務 調査團을 派遣할 豫定. 단, 同 調査團 派遣에 所要되는 經費는 日本等 餘他 支援國의 例에 따라 支援 經費에서 支出할 豫定

(財源 確保)

- o 1990年度 追更豫算에 所要財源 860億원(1億 2千万弗)을 計上. 經協支援 4,000万弗과 剩餘쌀 支援 1,000万弗은 각각 對外 經協基金(EDCF)과 糧穀 管理基金을 使用할 豫定이므로 別途의 豫算措置는 必要 없으며, 1991年度 支援分 5,000万弗은 '91 豫備費로 計上 措置할 豫定

9 0030

5. 我國의 支援에 대한 美國 反應

※ Bush 大統領을 비롯한 美 主要人士들은 我國의 페르시아灣 事態 關聯 支援 決定에 대해 謝意를 表示하고 歡迎意思를 아래와 같이 表明함.

ㅇ Bush 大統領(9.27. 盧大統領앞 感謝 電文 發送)

- 最近 韓國의 洪水 被害에도 不拘 韓國의 支援決定에 謝意 表明

ㅇ Baker 美 國務長官(9.27. 韓.美 外務長官 會談時)

- 韓國의 支援 決定에 謝意 表明

ㅇ Brady 美 財務長官 反應(9.25. 정영의 財務長官 面談時)

- 韓國이 早期에 페灣 事態 關聯 費用分擔을 해 준데 대해 感謝

ㅇ Kimmitt 美 國務部 政務次官 反應(9.20. 駐美大使 面談時)

- 韓國 政府의 決定을 歡迎함.

ㅇ Gregg 駐韓 美 大使 (9.20. 外務長官 面談時)

- 상당한 規模의 支援에 感謝하며, 부쉬 大統領 및 Brady 財務長官도 韓國政府의 決定을 歡迎할 것임.

o 國務部 報道指針 內容 (定例 브리핑시 使用 되지는 않음)

- 韓國政府가 多國籍軍과 前線國家에 대해 상당한 規模의 支援을 제공키로 한 것을 歡迎함.

- 또한 韓國政府가 2億2千万弗 상당의 支援外에 醫療陣 派遣을 計劃하고 있는 것을 歡迎함.

- 最近 深刻한 洪水事態로 인한 韓國政府의 豫算上 어려움을 理解함.

o Douglas Paal 白堊館 NSC 아시아 擔當官

- 韓國政府의 決定에 感謝하며, 韓國政府가 이러한 決定을 함에 있어 어려운 狀況에 처해 있음을 理解함.

6. 페르시아灣 事態에 대한 北韓의 反應

o 北韓은 8.31. 이라크의 쿠웨이트 侵攻 및 倂合을 非難하고 紛爭의 平和的 解決을 促求함.

o 또한 北韓은 美國을 포함한 外國軍이 同 地域에서 撤收할 것을 要求하는 한편, 北韓이 이라크에 대해 武器를 供給하고 있다는 報道를 否認하였음.

o 한편, 美 國務部는 北韓이 이라크에 대해 武器를 供給하고 있다는 報道와 關聯, 同 報道 內容은 알고 있으나 確認은 되지 않는다는 反應을 보인바 있음.

o 其他 페灣 事態와 關聯한 北韓의 特異 動向은 없는 것으로 알고 있음.

8. 페르시아灣 事態 推移에 따른 追加 支援 問題

o 금번 페르시아灣 事態와 關聯, 我國은 多國籍軍 活動 支援에 1億 2千万弗, 周邊國 經濟 支援에 1億弗 等 2億 2千万弗을 支援키로 決定하였음.

o 政府는 이러한 支援規模가 現在 我國의 經濟.安保的 狀況을 考慮한 最大限의 規模임을 美 行政府, 議會, 言論 等에 弘報하고 있음.

o 앞으로 페르시아灣 事態가 長期化되거나 다른 局面으로 展開 될 경우 美側이 友邦國에 追加 支援을 要請해 올 可能性도 不無하다고 사료됨. 政府는 이에 대해 向後 同 事態의 進展, 事態 變化가 우리나라에 미칠 영향, 다른 나라들의 追加 支援 決定 現況, 우리나라의 經濟.安保 狀況 等을 충분히 考慮하여 우리 國益에 가장 도움이 되는 方向으로 對處해 나갈 것임.

15

0034

9. 페르시아灣 事態 解決 展望

(現　況)

o 美國을 위시한 多國籍 聯合勢力은 이라크의 쿠웨이트 撤軍을 貫徹시키기 위하여 經濟.外交 및 軍事的 壓力을 強化中임.

o 이라크는 쿠웨이트 撤收 不可를 천명하고, 反美 아랍民族主義 煽動 戰略으로 맞섬으로써 緊張狀態下의 對峙狀況이 持續되고 있음.

(解決 可能性)

o 美國은 安保理 決議의 完全한 實現을 主張하는 반면, 이라크는 쿠웨이트 抛棄 不可 立場을 固守하고 있어서 兩側이 早期에 政治的 妥協을 導出할 可能性은 稀薄함.

o 한편 軍事的 解決 可能性에 있어서는 美國이 自身의 決定으로 軍事力을 使用할 경우, 아랍권 國家들의 反美 感情 자극등을 감안할때 이라크의 挑發이 없는 狀態에서 先制 攻擊 敢行은 어려움. 또한 이라크도 軍事力, 空軍力의 絕對的 劣勢로 先制 武力使用은 어려운 事情임.

o 그러나 이라크내 外國人들에 대한 危害 行爲, 化學武器 使用, 이라크의 쿠웨이트 倂合 永久化 等 中東地域 勢力 均衡에 重大한 威脅이 招來될 경우, 이를 沮止하기 위한 美國의 軍事力 使用 可能性은 排除할 수 없음. 실제로 美 行政府, 軍部 等은 軍事力의 使用 問題 等에 관해서도 신중히 檢討하고 있는 것으로 報道되고 있음.

(事態의 長期化 可能性)

o 現在 進行中인 經濟制裁 措置가 점차 効果를 보이고 있으나 훗세인이 經濟的 어려움 때문에 쉽게 屈服할 것으로 보이지는 않으며, 훗세인은 쿠웨이트 倂合을 굳혀 일단 目標를 達成하고 時間을 끌면서 반시오니즘, 아랍 民族主義 等을 助長, 現 對峙狀態를 美國對 아랍 民族主義間 對決 構圖로 轉換시켜 自身의 立地를 強化시키려 할 것으로 豫想됨.

o 美國은 당장 軍事力 使用에 의한 事態解決이 어려운 狀況이므로, 이라크에 대해 政治.經濟的 壓力을 強化하는 한편, 世界的 反이라크 團合을 鞏固히하여 短期的인 事態解決과 長期的인 中東 安保 構圖 確立을 追求할 것으로 豫想됨.

17

0036

10. 페르시아灣 事態 武力 衝突 可能性

o 부시 行政府는 11.6로 豫定된 美國의 中間選擧를 앞두고 그전에 可視的 成果를 올리기 위한 對策 마련에 腐心하고 있는 것으로 보이는 바, 훗세인이 쿠웨이트 併合을 固守할 경우 武力에 의한 解決이 不可避하다는 일부 主張도 나오고 있음.

o 그러나 美國으로서는 軍事力 使用時 豫想되는 문제점 즉, 人質의 安全, 化學戰 危險, 多國籍軍 參與 友邦과의 意見調整 問題, 軍事力 使用後 中東內 對美 感情 惡化等에 대한 憂慮때문에 軍事的 措置를 취하는 問題에 관해 신중하게 對處하고 있는 것으로 보임.

o 이러한 狀態下에서 美國은 最後 手段으로 軍事力 使用을 염두에 두고, 軍事力 使用時 초래될 수 있는 副作用을 最少化 하는 方案을 마련키 위해 苦心中에 있는 것으로 보임.

o 美國은 이를 위해 可能한 限 많은 나라의 多國籍軍 參與를 誘導하고 특히 最近 地域 紛爭解決을 위한 美.蘇間 協力 可能性에 着眼, 유엔 安保理의 決議를 통해 軍事力 使用의 正當性을 確保하는 努力도 계속 傾注할 것으로 展望됨.

11. 페르시아灣 事態가 東北亞 및 韓半島 情勢에 미치는 影響

(東北亞 地域 情勢에 미치는 影響)

o 美國은 이번 事態로 인해 海外 前進 基地를 통한 地域安定 維持라는 旣存의 前進 配置 戰略의 重要性을 더욱 잘 認識하게 되었을 것이며, 最近 美國 朝野의 軍事力 減縮, 海外 駐屯 美軍 撤收 및 國防 豫算 削減 論爭을 當分間 鈍化시킬 可能性이 있음.

o 또한 美.蘇間의 軍縮 推進 等에도 不拘하고 실제 世界 到處에는 紛爭 危險이 도사리고 있으며, 이 점에서 美國의 軍事力이 無限定 減縮되어서는 안 될 것이라는 愼重한 意見이 美國의 與論 形成層을 中心으로 強力하게 擡頭될 可能性도 있음.

o 한편, 蘇聯이나 中國 等은 에너지 保有國으로서 이번 事態로 인한 經濟的인 損失은 거의 없을 것으로 보이며, 現在의 事態가 長期化 또는 惡化되어 石油價의 高率 引上이 이루어질 경우 오히려 이들 國家의 外貨 獲得에 도움이 될 것이며, 시베리아 等 自國의 資源開發을 보다 本格化하는 계기가 될 것으로 觀測됨.

o 日本으로서는 이번 事態가 自國의 資源 外交를 強化하고 美國의 防衛費 分擔 壓力에 協調하는 線에서 對美 安保關係를 더욱 돈독히 하는 계기로 삼게 될 展望임.

19

0038

(韓半島 情勢에 미치는 影響)

ㅇ 現在로서는 페르시아灣 事態가 韓半島 安保情勢나 南.北對話에 直接的인 影響을 미치고 있지는 않음.

ㅇ 그러나 장차 事態가 급격히 惡化되어 범 아랍권의 反美 運動이 高潮될 경우 北韓이 이를 惡用, 對南, 對美 宣傳戰을 強化할 可能性이 있으며, 이 경우 南.北對話에는 否定的인 影響을 招來할 것으로 展望됨.

ㅇ 한편, 이라크의 쿠웨이트 侵攻 및 併合에 대해 蘇聯을 비롯한 多數의 國家가 이를 糾彈하고 유엔의 決議에 따라 對 이라크 制裁 措置에 參與하고 있는 것은 北韓에 대해서 對南 武力 挑發 했을 경우의 結果에 대해 警鐘을 주는 間接的 効果가 있다고 사료됨.

ㅇ 따라서 금번 事態가 유엔의 決議대로 解決 될 경우 韓半島 安保狀況에는 肯定的인 効果를 미칠 것인 바, 이와 같은 觀點에서도 우리의 多國籍軍 活動支援 및 前線國家 等 周邊 被害國 支援은 바람직함.

최근 페만사태 관련 아측 지원 방안 내용

(90.10.8. 개최 외무통일위 보고사항)

1. 미측 요청 내용

o 브래디 미 재무장관이 방한, 9.7. 대통령을 예방한 자리에서 다국적군 활동 지원 및 이라크에 대한 경제 제재 조치로 피해를 입고 있는 이집트, 터키 및 요르단 등 전선국가 지원 경비로 아국이 총 3억 5천만불(다국적군 지원 1억 5천만불, 주변국 경제지원 2억불)을 분담토록 요청해온 바 있음.

2. 아국의 지원 규모 결정시 고려사항

o 정부는 국제사회에서 무력에 의한 불법적인 침략행위가 용인되어서는 안된다는 국제법과 국제정의에 입각하여 유엔안보리의 대이라크 제재 결의를 존중하고,

o 아국의 신장된 국위에 부응하여 국제 평화 유지 노력에 일익을 담당해야 한다는 판단하에 페르시아만의 질서 회복을 위한 국제적 노력을 지원키로 결정하였음.

0040

o 동 결정을 함에 있어서, 총 원유수요의 75%를 중동으로부터 도입하는 우리 나라로서는 중동사태의 조속한 해결을 통한 원유의 자유로운 수급질서 회복과 유가 안정이 무역수지 및 물가안정 등 국익에 크게 도움이 된다는 점을 특히 고려하였으며,

o 현재의 어려운 국내 경제 상황과 최근 홍수 피해로 인한 재정 부담 등도 충분히 감안하였음.

3. 아국의 지원 규모 및 집행 계획

o 정부는 상기 모든 고려 요소를 감안, 다국적군의 경비로 1억 2천만불, 주변 전선국가에 1억불, 총 2억 2천만불을 지원토록 결정하였음.

o 이와는 별도로 의료단 파견을 긍정적으로 검토중임.

o 아국의 지원 내용중 다국적군 경비 지원은 현금 5천만불을 포함하여 수송 지원 및 현물지원으로, 주변 전선국가에 대해서는 대외경제협력기금(EDCF) 4,000만불, 정부 보유미 3만톤(1천만불 상당) 및 필요 현물을 지원함으로써 직접적인 재정 부담을 줄이고 아국 경제에 도움이 되도록 하였음.

o 또한, 급변 사태로 본국 귀환에 어려움을 겪고 있는 난민 수송 지원을 위해 국제이민기구(I.O.M)에 50만불을 기여토록 결정하고 이를 1.0M [illegible]에 증액하였음.

0041

o 한편, 아국이 지원키로한 2억 2천만불중 1억 7천만불은 ~~본내 필요한 예산 조치를 거친후 관계국과의 합의를 통해~~ 금년도에 집행 예정이며, 2차 지원분 5천만불은 명년도에 집행할 예정임. 금년내 필요한 예산 1억7천만불중 EDCF 기금 4,000만불, 잉여 쌀 지원 1,000만불 등 특별회계에서 지출되는 5,000은 제외한 1억 2천만불 (860억원)을 금년도 추경예산에 반영하였음.

o 구체적인 집행 계획은 수원대상국과 아국과의 쌍무관계 등을 감안, 최대의 외교적 효과를 거둘수 있는 방향에서 수립 시행코자하며 이러한 고려에서 미측과도 긴밀히 협의할 계획임. 구체적인 집행 계획이 수립되는대로 의원께 즉시 보고드리겠음.

0042

쿠웨이트 事態 現地 觀察 報告

1990. 10. 11.

駐 쿠 웨 이 트 大 使 館

0043

이라크 政府의 出國 不許로 9.2-9.27 바그다드에 抑留됐던 駐 쿠웨이트 大使가 觀察한 現地 情勢를 아래와 같이 報告 합니다.

바그다드 事情

o 유엔의 禁輸措置로 밀가루, 설탕등 主要 食料品 品貴
  - 滯留했던 바빌론 호텔에서 9.15 전후 빵 給食 中斷
  - 세라톤 호텔 食堂에서 설탕 品切을 들어 커피販賣 拒否
  - 住民들에 대한 빵 配給所가 아침 配給時間에 閉店되어 있는 날이 가끔 있었음
  - 現代 支店等 外國 建設業體 現場 事務所에 대하여 食糧 輸入 慫容
  - 閉門한 食堂 多數
  - 食糧 買占 賣惜을 警告하는 政府 發表 隨時 放送
o 그러나, 社會 不安定을 갖어올 정도의 緊迫한 事情으로는 보이지 아니했음
o 原料, 資材, 機械 部品이 輸入되지 아니함에 따라 主要 産業 施設 稼動 中止

0044

禁輸措置 效果

o 相當한 정도로 不便을 주고있는것 같으나, 이것만으로 사담 후세인 大統領을 屈服시키기 위해서는 相當한 時間이 必要視됨
  - 아랍人들의 强靭한 生活力
  - 사담 후세인 大統領의 强한 統制力과 庶民層의 追從
  - 大衆이 갖고 있는 거의 盲信的이랄수 있는 反美.反유럽 性向과 强한 自尊心
  - 쿠웨이트에서 奪取해온 휘귀物件들이 市販되는등 쿠웨이트 占領의 可視的 利益에 鼓舞된 住民 感情
o 한편, 유엔의 封鎖 强化, 요르단의 封鎖 參與, 이란의 對 이라크 基礎生活 必需品 供給 協力 不振等으로 이라크 事情은 점점 어려워질 것임

이라크의 戰略

o 아랍 民族主義 感情을 觸發하여 이스라엘-美國에 대한 反感을 煽動 하므로서 아랍 對 이스라엘, 美國 鬪爭으로 局面을 바꾸어 쿠웨이트 占領 維持
  - 이스라엘에 대한 挑發 → 아랍 大衆 煽動
  - 頻繁한 國民 煽動 示威
  - 사담 후세인은 아랍 民族主義의 旗手임을 强調, 浮刻

0045

美國의 戰略

o 禁輸 强力 執行, 이라크 內部 崩壞 期待
o 戰爭은 可能한 忌避

展　望

o 封鎖만으로는 比較的 短期間안에 目的 達成 期待 難
o 長期化되면 解決 難望
  - 이라크는 쿠웨이트를 탈 쿠웨이트, 이라크화 하는 努力 加速
  - 經濟的 負擔 加重에 따른 西方側 結束에 틈이 갈 危險
  - 이집트, 사우디등 아랍 國際軍 參加國 政府가 國民 壓力에 따른 決意 弱化 危險
o 따라서 封鎖 效果가 期待한대로 나타나지 아니할때, 武力 解決도 豫想
  - 사담 후세인은 越南戰을 例로 들며 國民들 激勵
  - 그러나 美國住民 및 國際的 支持와 地形條件에 있어서 越南과는 판이하고 過去 네차례 中東戰에서 空軍力이 決定的 역활을 했던 經驗에 비추어 開戰되면 比較的 短期間에 이라크 敗戰 豫想.　끝.

0046

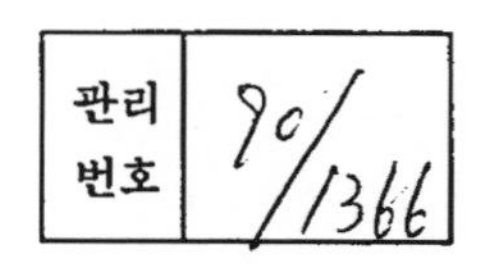

외 무 부

종 별 :

번 호 : IDW-0324 일 시 : 90 1010 1500

수 신 : 장관(통일,중근동,구일)

발 신 : 주 아일랜드 대사

제 목 : 대 이라크 제재

1. 주재국 외무부 FITZGIBBON 경제국장은 당관 김서기관에 대 이라크 제재문제와 관련, 이라크 정부가 미국 및 EC 각국에 부채 청산 협상을 위한 교섭 대표단을 바그다드에 파견해 줄것을 요청하고 있다고 언급함.

2. 동 국장은 주재국으로서는 이라크의 대주재국 부채(육류 대금등)가 상당액에 달하고 있다고 하고, 이라크의 동 제의의 진의가 의심스러우나 대책을 수립중이라고 하면서 아국 정부도 유사한 제의를 받았는지 여부와 정부 입장 그리고 아국정부가 대이라크 부체 CONSORTIUM 의 일종인 PARIS CLUB 회원인지 여부등을 문의해 온 바 회시바람.

동 국장은 입장등 관련 사항은 외교기밀로 취급 될 것이라고 첨언함. 끝.

(대사 민형기-국장)

예고:90.12.31. 일반

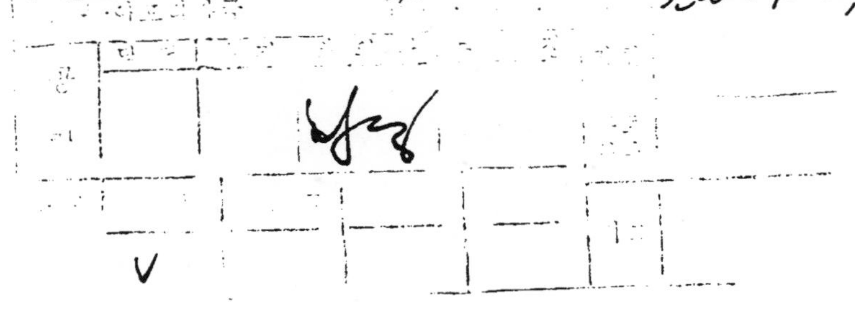

통상국 구주국 중아국

PAGE 1

90.10.10 23:38

외신 2과 통제관 DO

0047

관리 번호	90/13175

	분류번호	보존기간

발 신 전 보

번 호 : WID-0310 901012 1830 ER

종별 :

수 신 : 주 아일랜드 대사, 총영사

발 신 : 장 관 (중근동, 통일)

제 목 : 대 이라크 제재

대 : IDW - 0324

1. 대호, 아국은 특정한 대 이라크 채권단에 속해있지 않으며, 이라크측으로부터 부채청산 교섭대표단 파견제의를 받은 바 없음.

2. 대호 관련 특이사항 있을시 보고 바람. 끝.

(중동아프리카국장 이 두 복)

예 고 : 1990. 12. 31. 일반

901231 일반문서로 재분류됨.

통상국장 :

보안 통제	

앙고재	90년 10월 12일	중근동과	기안자 성명		과 장	심의관	국 장		차 관	장 관
			조태봉				전결			

외신과통제

0048

영국측 요청에 대한 검토의견

90.10.11. 중근동과

1. 영국측 요청
   - o 영국정부는 이라크 정부측에 아래 항의Note를 전달하는바, 한국도 이라크에 대한 유사한 조치 희망

     Note - 1 (10.5. 주영 이라크 대사에 기전달)

     - 이라크 혁명지도위 포고 377호 무효 선언 및 원상회복.보상등과 관련한 영국측의 권리 보유 천명

     ※ 포고 377호 요지
       - . 이라크의 자산을 동결시킨 국가의 이라크내 자산 보복 동결, 외국회사의 대 이라크 계약 의무 위반에 대한 벌칙등
       - . 서방국가의 대 이라크 경제제재 조치에 대한 보복

     Note - 2 (이라크측에 전달 예정)

     - 걸프사태와 관련 이라크측이 영국정부 및 영국인에 끼친 인적, 물적 손해에 대하여 영국이 원상회복, 손해배상을 청구할 권리 보유 천명

2. 분석 및 대처 방안
   - o Note-1은 아국 이익과 무관(이라크정부 포고 377호로 인한 아국의 손해는 사실상 없음)
   - o Note-2 내용은 아국에게도 다소 해당(쿠웨이트 은행 폐쇄에 따른 공용 및 개인 예금 인출 불가능등)
   - o 그러나, 현시점에서 대이라크 항의 제기의 실익이 없으며, 지난 쿠웨이트 공관원 철수시에도 잔류 아국인의 신변안전등을 감안 대 이라크 비난 성명을 발표치 않았던 점을 고려, 대이라크 항의 Note 발송은 일단 유보토록 함
     - 다만, 금번 사태와 관련한 아국인의 피해에 대한 손해배상 청구등은 사태 진정후 별도 조치 필요

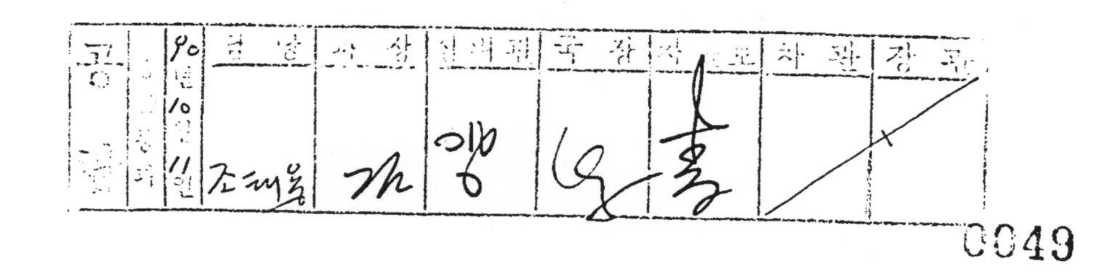

0049

RESTRICTED

SPEAKING NOTE

IRAQ/KUWAIT: IMPOUNDING OF ASSETS AND LOSS/DAMAGE/INJURY ARISING FROM IRAQI INVASION OF KUWAIT

I have been instructed to inform you that on 5 October the Iraqi Ambassador in London was summoned to the Foreign and Commonwealth Office to be given a Note containing the British Government's response to a decree issued in Iraq last month excusing Iraqi organisations from a range of contractual and financial obligations and sequestering the assets of companies of certain foreign states. The British Government's Note of protest reserves the United Kingdom's rights and those of UK nationals and companies in respect of this matter. The text of that Note is attached at Annex A.

A second Note on the more general question of loss, injury and damage arising out of the Iraqi invasion of Kuwait, with a view to the possibility of claims by the British Government, British firms and individuals, will be delivered very soon. The text of that Note is also attached, at Annex B.

The British Government suggests that the Government of the Republic of Korea may wish to take similar bilateral action so as to impress upon the Iraqis the consequences of their actions. The international community should not lose sight of the fact that UN Security Council Resolution 670 declares the Iraqi decree to be null and void.

BRITISH EMBASSY
SEOUL
10 October 1990

0050

IRAQ/KUWAIT: IMPOUNDING OF ASSETS

The Government of the United Kingdom protest against the promulgation of Decree No 377 of the Revolutionary Command Council of Iraq of 16 September 1990. In accordance with Resolution 670 of the United Nations Security Council, the Government of the United Kingdom consider this Decree contrary to the Charter of the United Nations and null and void. If and insofar as this Decree is implemented in relation to, or has consequences for, the rights, interests or property of the United Kingdom reserve all their rights, as well as the rights of British nationals and companies, in the matter, including the right to full restitution or compensation.

Annex B

IRAQ/KUWAIT: LOSS/DAMAGE/INJURY ARISING FROM IRAQI INVASION OF KUWAIT

The Government of the United Kingdom wish to inform the Government of Iraq that they reserve all their rights, as well as the rights of British nationals and companies, including the right to full restitution, compensation or other reparations, with respect to acts or omissions attributable to the Government of Iraq or the Iraqi occupation authorities in Kuwait since the illegal occupation of Kuwait by Iraq on 2 August 1990, including each and every instance of loss, damage, maltreatment, injury or suffering, whether to person or to property and of whatever nature, which has been or may hereafter be suffered by the United Kingdom or by British nationals or companies as a result, directly or indirectly, of such acts or omissions.

— 10.10. 주한영국대사가 제1차관보 면담시 제시한 Speaking note임.

— 차관보께서는 동건에 관한 아국입장을 연구하라는 지시입니다.

영국 [illegible]

9.18 자국 해외자산 동결에 대한 보복으로 이라크내 서방국 자산 압류

0052

공 란

공 란

공 란

공 란

공 란

기 안 용 지

분류기호 문서번호	미북 0160-	(전화 : 720-4648)	시 행 상 특별취급	
보존기간	영구. 준영구 10. 5. 3. 1.	차 관	장 관	
수 신 처 보존기간				
시행일자	1990.10.17.			

보조기관			협조기관		문서통제
	국 장			제1차관보	
	심의관			제2차관보	
	과 장			대 책 반 장	
				아.중동국장	
				국제경제국장	
기안책임자	홍 석 규				발 송 인

경 유 수 신 참 조	내 부 결 재	발신명의	

제 목	"페"만 사태관련 국별 지원 집행계획

1. "페'만 사태관련 국별 지원 집행계획을 별첨과 같이 (당부 내부 안으로서 잠정) 확정코자 하오니 재가하여 주시기 바랍니다.

2. 동 집행계획에 대한 당부 입장 확정후 관계부처 회의 및 국무회의 보고를 거쳐 확정 예정임을 첨언합니다.

첨 부 : "페"만 사태관련 국별 지원 집행계획(안) 1부.   끝.

예 고 : 91.6.30. 일반

검 토 필 (1990.12.31.)

(參考資料)

"페"灣 事態 關聯 國別 支援 執行計劃(案)

1. 支援 內譯

가. 90 年

(單位 : 万弗)

支援內譯 / 國別	多國籍軍 活動			周邊國 및 國際機構				計
	現金	輸送	現物	EDCF	生必品	쌀	IOM	
美 國	5,000	3,000						8,000
이집트			700	1,500	1,000			3,200
터 키				1,500	500			2,000
요르단				500	500			1,000
방글라데쉬						500		500
파키스탄				500				500
시리아			600		400			1,000
모로코			200					200
필리핀						500		500
I O M							50	50
기타(행정비)					50			50
小 計	5,000	3,000	1,500	4,000	2,450	1,000	50	17,000
計	9,500			7,500				17,000

나. 91 年

(單位 : 万弗)

	多國籍軍 活動	周 邊 國	計
支援 規模	2,500	2,500	5,000

0059

2. 支援 對象 國家 및 規模 決定時 考慮事項

ㅇ 多國籍軍 活動에 대한 國別 寄與度

* 國別 派兵 現況

- 이 집 트 : 19,000名
- 시 리 아 : 15,000名
- 모 로 코 : 1,200名
- 방글라데쉬 : 5,000名
- 파키스탄 : 5,000名

ㅇ 對이라크 經濟 制裁 措置 参與로 인한 經濟的 被害 狀況

* 各國 被害支援額

'90 年 : 總 41億弗
(터키 17, 이집트 11, 요르단 13)

'91 年 : 總 94億弗
(터키 42, 이집트 23, 요르단 29)

ㅇ 修交基盤 造成 等 外交的 必要性
- 이집트 및 시리아

ㅇ 我國에 대한 支援 要請 與否
- 필 리 핀 : 쿠웨이트 및 이라크內 필리핀 勤勞者(1万名) 本國 緊急 撤收를 위한 支援 要請(民間 航空機 無償 提供 要請)
- 방글라데쉬 : 被害額이 5億9千2百万弗이라하면서 現金 援助 또는 勤勞者 送還을 위한 航空機 및 船舶 支援, 國際機構에의 難民 撤收 基金 支援 要請
- 파키스탄 : EDCF 支援 要請

0060,

o 我國과의 旣存의 友好 協力 關係

o 中東地域 國家의 境遇, 對象國家가 同 地域에서 갖고 있는 影響力 정도

0061

페灣 特別委 會議資料

最 近 中 東 情 勢

1990. 10. 17.

外 務 部

0062

1. 事態 現況

o 最近 걸프 事態는

- 이스라엘의 팔레스타인人 虐殺事件 (10.8.),
- 이집트 國會議長 테러 事件 (10.12.),
- 親이라크 기독교계 叛軍 Aoun 將軍이 降伏한 레바논 內戰勢力 版圖 變化 (10.13.)等
- 一連의 事件으로 同 事態는 더욱 複雜한 樣相으로 展開되어가고 있음.

o 이라크側은 公式的 否認에도 不拘하고

- 프리마코프 소련 大統領 特使 訪問 및
- 타리크 아지즈 外務長官 요르단 派遣 (10.13.)등을 통하여
- 이라크가 루마일라 油田과 부비안, 와르바의 2개島嶼등 페灣 出口 確保 境遇, 쿠웨이트 大部分 地域에서 撤軍할 用意를 表明한 것으로 알려지고 있는등
- 事態의 外交的 解決을 위한 막후 整地 作業도 竝行하고 있는 것으로 보임.

0063

o 그러나 부쉬 美 行政府로서는

- 對이라크 軍事的, 經濟的 壓力을 加重시키는 한편
- 유엔 安保理에 이라크의 쿠웨이트 破壞, 損害賠償, 戰爭犯罪 斷罪에 관한 決議案을 追加 上程하여
- 소련과 協調, 이라크의 撤軍을 誘導하므로써
- 가능한 한 同事態를 政治的 方法으로 解決하도록 努力할 것으로 보임.

2. 分析 및 展望

o 사담 후세인 이라크 大統領은

- 걸프事態를 팔레스타인 問題와 連繫시키고자 하는 戰略으로
- 팔레스타인 過激 테러 團體와 손잡고,
- 예루살렘 流血事態, 이집트 國會議長 暗殺等
- 一連의 事件을 使嗾한 것으로 보이며,

0064

o 美國은 當分間 對이라크 經濟封鎖 效果를 기다려,

- 軍事行動의 必要性 與否를 分析하게 될것으로 보이며
- 事態의 平和的 解決 展望이 보이지 않을 境遇,
- 最後의 對이라크 壓力 手段으로 유엔 安保理에서 軍事制裁 措置 決議를 推進할 것으로 豫想되며,
- 軍事行動을 택할 境遇, UN 기치하에 美.蘇 協力 方式을 취할 것으로 보임.

o 한편, 불란서 및 一部 아랍國家는 實現 가능한 解決 方案으로

- 이라크가 쿠웨이트에서 撤收를 決定할 境遇,
- 이라크의 不滿要因을 確認하기 위한 UN 調査團을 派遣하고
- 이라크.쿠웨이트間 紛爭事項을 國際司法 裁判所에 提訴하는 方法을 擧論하고 있으며,
- 中東問題를 綜合的으로 다룰 國際會議 召集 方案도 論議하고 있음.

o 그러나 사우디에 亡命政府를 두고 있는 자베르 알사바 쿠웨이트 國王은

- 3日間 (10.13.-15 젯다)의 쿠웨이트 國民과의 會合後

0065

- 이라크가 主張하는 루마일라 油田 및 島嶼 (와르바, 부비얀) 에
  대해 妥協 不可 立場을 表明하는 한편,
- 쿠웨이트 復歸時 民主 回復을 約束한 바 있어
- 劇的인 事態發展이 없는한 協商에 의한 解決 展望은 不透明한
  것으로 보임.

o 이라크의 쿠웨이트 撤收가 가시화되지 않고 있는 가운데
- 20여만명의 美地上軍을 포함 26만여명의 最尖端 武器를 보유한 多國籍軍
  兵力이 걸프 地域에 配置 完了되었고
- 11月中에는 攻擊 配置로 轉換 可能한 狀態일 뿐만 아니라
- 雨期가 닥쳐온다는 事情等으로 미루어
- 앞으로 몇주일이 화.전의 重大한 고비가 될것으로 보임.

0066

페르시아灣 事態 關聯 支援 執行 計劃

(次官會議 報告 資料)

1990. 10.

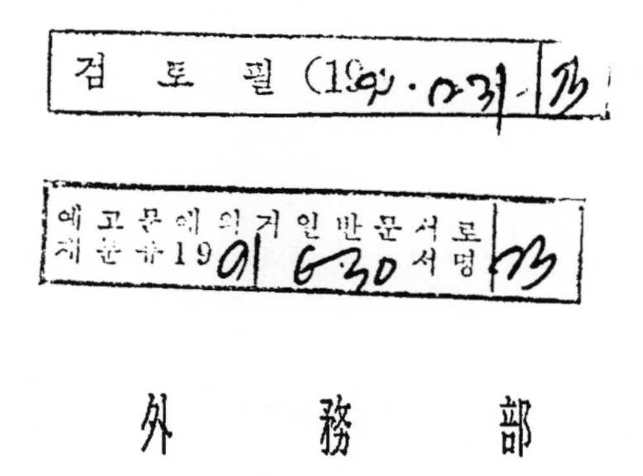

外 務 部

1. 美側 要請內容('90.9.7, 브래디 美 財務長官이 大統領 閣下 禮訪時 要請)

(單位 : 弗)

年度 / 區分	'90	'91	계
多國籍軍 活動 支援	1億 5千万	-	1億 5千万
周邊國 經濟 支援	1億	1億	2億
계	2億 5千万	1億	3億 5千万

2. 我國의 支援 規模 및 內容

(單位 : 弗)

年度 / 區分	'90	'91	계
多國籍軍 活動 支援	9,500万	2,500万	1億 2千万
周邊國 經濟 支援	7,500万	2,500万	1億
계	1億 7,000万	5,000万	2億 2千万

※ '90 多國籍軍 活動 支援 9,500万弗中 5,000万弗은 對美 現金支援

0068

3. 執行 計劃

가. '90 支援 內容

1) 多國籍軍 活動 支援

(現金 및 現物 支援)

(單位 : 弗)

現金 支援	輸送 支援	現物支援(軍需物資)	계
5,000 万	3,000 万	1,500 万	9,500 万

o 現金 支援方法은 美側과 1次的 協議를 거치고 必要時 關係國과의 協議下에 確定, 執行함.

o 輸送支援은 上記 支援 豫算 範圍內에서 支援하되 航空 輸送의 경우 美國에 대해 週2回 支援을 하며 海上 輸送은 美側의 具體的 要求가 있을 경우 傭船, 支援토록 함.(月 1回 程度)

o 現物 支援은 防毒面, 모포, 배낭 等 軍需物資 支援인 바, 我國과의 關係 및 各國 需要 等을 考慮, 執行하되, 同 物資 輸送 費用은 上記 經費 範圍內에서 充當 豫定임.

0069

(軍 醫療團 派遣)

ㅇ 國防部에서 執行 計劃을 樹立, 關係部處와 協議, 施行 豫定

- 美國, 사우디等 關係國과 協議中

ㅇ 派遣時 國會 同意 必要(헌법 제60조 제2항)

2) 周邊國(Frontline States) 經濟 支援

(單位 : 弗)

經協 支援 (EDCF)	現物 支援 (救護生必品)	剩餘 쌀 支援	難民輸送 支援	계
4,000	2,450 万	1,000 万	50 万	7,500 万

ㅇ 周邊 被害國 經濟支援 豫定額 7,500万弗을 아래와 같이 配定하고 同範圍內에서 細部 執行 計劃을 樹立함.

- 이 집 트 : 3,000万弗
- 터　　키 : 2,000万弗
- 요 르 단 : 1,500万弗
- 방글라데시 : 500万弗
- 파키스탄 : 500万弗

(방글라데시, 파키스탄) 但, 美側 意見에 따라 被援助國은 調整함

ㅇ 對象國別 具體的인 支援 品目과 額數는 美國, 受援國들과의 協議 및 現地 事前 調査를 거쳐 樹立 豫定임.

0070

o 難民 輸送支援 50万弗은 이미 國際移民機構에 特別 基金으로 支援 豫定임을 通報하였음.

- 또한 我國 고프 및 勤勞者의 本國 輸送을 위해 別途로 我國이 總 127万 3千弗을 支出하였음도 國際移民機構에 通報토록 措置하였음.

나. '91 支援 內容

o 向後, 關係國과의 協議 等을 거쳐 '91年 第2次 支援 執行 計劃을 樹立, 實施 豫定임.

4. 行政 措置 事項

가. 執行 計劃 推進을 擔當하게 될 主管部處는 進行事項을 月 2回 外務部에 通報하고, 外務部가 이를 綜合, 青瓦臺에 報告함.

* 主管 部處는 別添 資料 參照

나. 周邊 被害國(前線國家 3個國 包含)에 대한 支援 協力을 위해 關係部處 實務 調査團(經企院, 外務部, 財務部, 國防部, 商工部, 農水産部)을 周邊 被害國에 派遣, 協議토록 함.

* 調査團 活動 經費는 經濟支援 豫算에서 支出함.

0071

다. 豫算은 '90年度 追加 更正 豫算에 所要財源 860億원(1億2千万弗) 計上 措置중인바 國會 通過後 外務部에서 執行함.

라. 對外 經協基金(EDCF)의 경우 今年度 잔여분 4千万弗을 활용하고 쌀 支援은 糧穀 管理 基金에서 缺損 處理할 豫定이므로 別途 豫算措置 不要함.

마. '91 支援分 5,000万弗은 91年度 豫備費로 計上 措置 豫定임.

바. 現物 支援時 發生하는 運送 費用은 旣確定된 支援 豫算 範圍內에서 支出함.

添附 : 支援業務 執行部處(案). 끝.

예고 : 1991.6.30. 일반

0072

添附

支援業務 執行 部處(案)

業　　務	主 管 部 署	關聯部署(協調)
總　括	外務部	
豫算措置	經濟企劃院	
現金支援	外務部	經濟企劃院,財務部
輸送支援	外務部, 交通部	
經協(EDCF)支援	外務部, 財務部	
쌀 支援	農水産部	外務部
防毒面 支援	外務部	國防部, 商工部
軍需物資 (軍服, 毛布等)	外務部	國防部, 商工部
救護 生必品	外務部, 商工部	
難民輸送支援	外務部	
軍 醫療團 派遣	國防部	外務部

0073

各國의 支援 現況

國家	經濟的 支援	軍事的 支援
日本	40億弗 - 多國籍軍 20億	 非戰鬪員 2,000名 派遣 檢討
西獨	20.8億弗(33億 마르크) - 多國籍軍 10.1億弗 - 前線國家 8億弗 - EC 基金 2.6億弗	艦艇5隻 (掃海艇 4, 補給艦 1)
EC	20億弗 (分擔額 未合意)	
英國	EC 次元 共同 步調	6,000名, 7隻, 40臺
불란서	"	13,000名, 14隻, 100臺
이태리	1.45億弗(1次 算定額), "	艦艇5隻
벨기에	EC 次元 共同 步調	掃海艇2隻, 補給艦 1隻
네덜란드	"	프리깃艦 2隻
스페인	"	艦艇3隻
폴투갈	"	艦艇1隻
그리스	"	艦艇1隻

0074

國　家	經濟的 支援	軍事的 支援
濠　洲	8百万弗(難民救護)	艦艇3隻, 醫療陣 20名
노르웨이	2,100万弗	
카 나 다	6,600万弗	艦艇3隻, 戰鬪機 中隊
G.C.C.國	사 우 디 : 60億弗 쿠웨이트 : 40億弗 U.A.E. : 20億弗	이집트 : 19,000名 모로코 : 1,200名 시리아 : 15,000名 GCC5국 : 10,000名
아시아國		방글라데시 : 5,000名 파키스탄 : 5,000名 인도네시아 : (派兵 用意)

* 美國 : 兵力 155,000名, 艦艇 48隻, 航空機 150臺

蘇聯 : 戰艦 1隻, 對潛艦 1隻을 派遣하였으나 多國籍軍에는 不參

0075

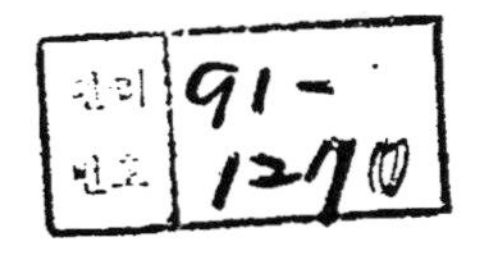

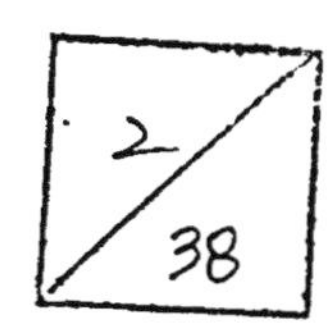

페르시아灣 事態 關聯 支援 執行 計劃

(國務會議 報告 資料)

1990. 10. 18.

外 務 部

0076

1. 美側 要請內容('90.9.7. 브래디 美 財務長官이 大統領 閣下 禮訪時 要請)

(單位 : 弗)

年度 / 區分	'90	'91	계
多國籍軍 活動 支援	1億 5千万	-	1億 5千万
周邊國 經濟 支援	1億	1億	2億
계	2億 5千万	1億	3億 5千万

2. 我國의 支援 規模 및 內容

(單位 : 弗)

年度 / 區分	'90	'91	계
多國籍軍 活動 支援	9,500万	2,500万	1億 2千万
周邊國 經濟 支援	7,500万	2,500万	1億
계	1億 7,000万	5,000万	2億 2千万

※ '90 多國籍軍 活動 支援 9,500万弗中 5,000万弗은 對美 現金支援

0077

3. 執行 計劃

가. '90 支援 內容

1) 多國籍軍 活動 支援

(現金 및 現物 支援)

(單位 : 弗)

現金 支援	輸送 支援	現物支援(軍需物資)	계
5,000 万	3,000 万	1,500 万	9,500 万

o 現金 支援方法은 美側과 1次的 協議를 거치고 必要時 關係國과의 協議下에 確定, 執行함.

o 輸送支援은 上記 支援 豫算 範圍內에서 支援하되 航空 輸送의 경우 美國에 대해 週2回 以內 支援을 하며 海上 輸送은 美側의 具體的 要求가 있을 경우 傭船, 支援토록 함.(月 1回 程度)

o 現物 支援은 防毒面, 모포, 배낭 等 軍需物資 支援인 바, 我國과의 關係 및 各國 需要 等을 考慮, 執行하되, 同 物資 輸送 費用은 上記 經費 範圍內에서 充當 豫定임.

0078

(軍 醫療團 派遣)

ㅇ 國防部에서 執行 計劃을 樹立, 關係部處와 協議, 施行 豫定

- 美國, 사우디等 關係國과 協議中

ㅇ 派遣時 國會 同意 必要(헌법 제60조 제2항)

2) 周邊國(Frontline States) 經濟 支援

(單位 : 弗)

經協 支援 (EDCF)	現物 支援 (救護生必品)	剩餘 쌀 支援	難民輸送 支援	계
4,000	2,450 万	1,000 万	50 万	7,500 万

ㅇ 周邊 被害國 經濟支援 豫定額 7,500万弗을 아래와 같이 配定하고 同 範圍內에서 細部 執行 計劃을 樹立함.

- 이 집 트 : 3,000万弗
- 터　 키 : 2,000万弗
- 요 르 단 : 1,000万弗
- 其他 시리아, 방글라데시, 파키스탄, 모로코 等 支援

※ 對象國別 具體的인 支援 品目과 額數는 美國, 受援國들과의 協議 및 現地 事前 調查를 거쳐 樹立 豫定임.

0079

o 難民 輸送支援 50万弗은 이미 國際移民機構에 特別 基金으로 支援 豫定임을 通報하였음.

나. '91 支援 内容

o 向後, 關係國과의 協議 等을 거쳐 '91年 第2次 支援 執行 計劃을 樹立, 實施 豫定임.

4. 行政 措置 事項

가. 執行 計劃 推進을 擔當하게 될 主管部處는 進行事項을 月 2回 外務部에 通報하고, 外務部가 이를 綜合, 青瓦臺에 報告함.

* 主管 部處는 別添 資料 参照

나. 周邊 被害國(前線國家 3個國 包含)에 대한 支援 協力을 위해 關係部處 實務 調査團(經企院, 外務部, 財務部, 國防部, 商工部, 農水産部)을 周邊 被害國에 派遣, 協議토록 함.

* 調査團 活動 經費는 經濟支援 豫算에서 支出함.

다. 豫算은 '90年度 追加 更正 豫算에 所要財源 860億원(1億2千万弗) 計上 措置중인바 國會 通過後 外務部에서 執行함.

0080

라. 對外 經協基金(EDCF)의 경우 今年度 잔여분 4千万弗을 활용하고 쌀 支援은 糧穀 管理 基金에서 缺損 處理할 豫定이므로 別途 豫算措置 不要함.

마. '91 支援分 5,000万弗은 91年度 豫備費로 計上 措置 豫定임.

바. 現物 支援時 發生하는 運送 費用은 旣確定된 支援 豫算 範圍内에서 支出함.

添附 : 支援業務 執行部處(案). 끝.

예고 : 1991. 6. 30. 일반

0081

添附

支援業務 執行 部處(案)

業　　務	主 管 部 署	關聯部署(協調)
總　括	外務部	
豫算措置	經濟企劃院	
現金支援	外務部	經濟企劃院,財務部
輸送支援	外務部, 交通部	
經協(EDCF)支援	外務部, 財務部	
쌀 支援	農水産部	外務部
防毒面 支援	外務部	國防部, 商工部
軍需物資 (軍服, 毛布等)	外務部	國防部, 商工部
救護 生必品	外務部, 商工部	
難民輸送支援	外務部	
軍 醫療團 派遣	國防部	外務部

0082

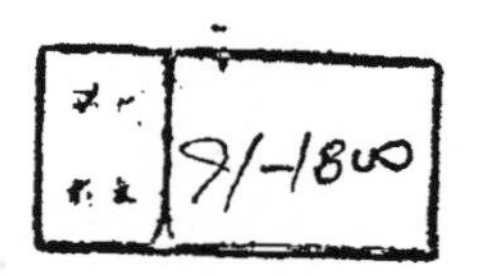

페르샤灣 事態 關聯 支援 執行 計劃

(關係部處 局長級 會議資料)

1990. 10.

外 務 部

예고문에의거일반문서로
재분류19 90 . 12 . 31 서명

0083

I. 國家別 支援(外務部 暫定案)

1. 支援 內譯

가. 90年

(單位 : 万弗)

支援內譯 國別	多國籍軍 活動			周邊國 및 國際機構				計	비고
	現金	輸送	軍需物資	EDCF	生必品	쌀	IOM		
美 國	5,000	3,000						8,000	
이집트			700 (600)	1,500 (2,000)	1,000 (900)			3,200 (3,500)	
터 키				1,500	500 (400)			2,000 (1,900)	
요르단				500	500 (350)		(50)	1,000 (900)	
방글라데시					(400)	500		500 (400)	
파키스탄			(300)	500	(400)			500 (700)	
시리아			600 (400)		400			1,000 (400)	
모로코			200 (100)					200 (100)	

*( )는 從前 支援 計劃

/ 다음장으로 계속

0084

支援內譯 / 國別	多國籍軍 活動			周邊國 및 國際機構				計	비고
	現金	輸送	軍需物資	EDCF	生必品	쌀	IOM		
필리핀						500		500	
I O M							50	50	
其他(行政費)					50			50	신설
小 計	5,000	3,000	1,500	4,000	2,450	1,000	50	17,000	
計	9,500			7,500				17,000	

나. 91年

(單位 : 万弗)

	多國籍軍 活動	周 邊 國	計
支援 規模	2,500	2,500	5,000

2. 支援 對象 國家 및 規模 決定時 考慮事項

o 美側은 我國의 支援 對象國 選定 및 支援 規模 決定에 대해 理解 表示

- 修交 目的을 위한 對시리아 援助 方針 等

0085

o 調査團 派遣 等 追加經費는 原則的으로 支援費內에서 支出하기 위하여 生必品 支援 部分中 50万弗을 行政 經費로 確保

- 美國側에 이미 通報, 異議提起 없었음.

o 輸送經費는 各國別 支援額에 包含

o 多國籍軍 活動에 대한 寄與度 및 修交 基盤 造成 等 外交的 必要性을 감안, 이집트 및 시리아에 대한 特別 考慮

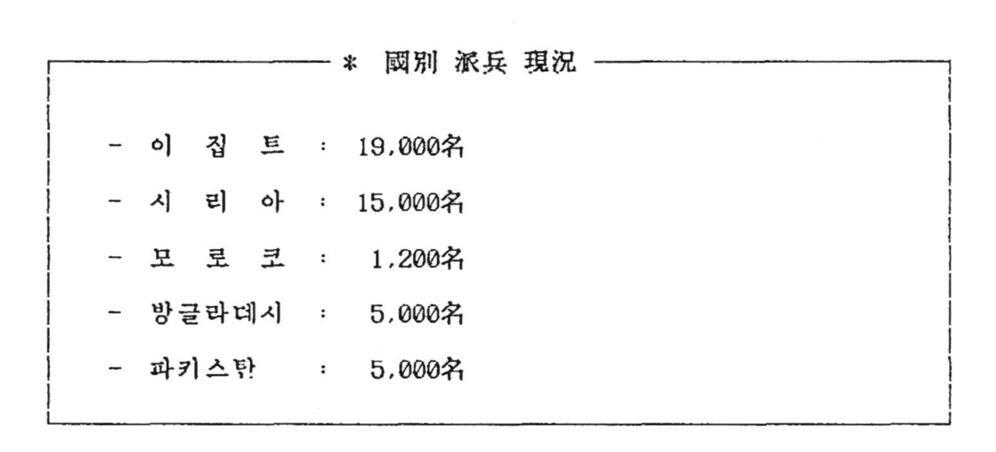

* 國別 派兵 現況

- 이 집 트	:	19,000名
- 시 리 아	:	15,000名
- 모 로 코	:	1,200名
- 방글라데시	:	5,000名
- 파키스탄	:	5,000名

o 對이라크 經濟 制裁 措置 參與로 인한 經濟的 被害 狀況을 감안, 周邊 3個 前線國家에 重點 援助

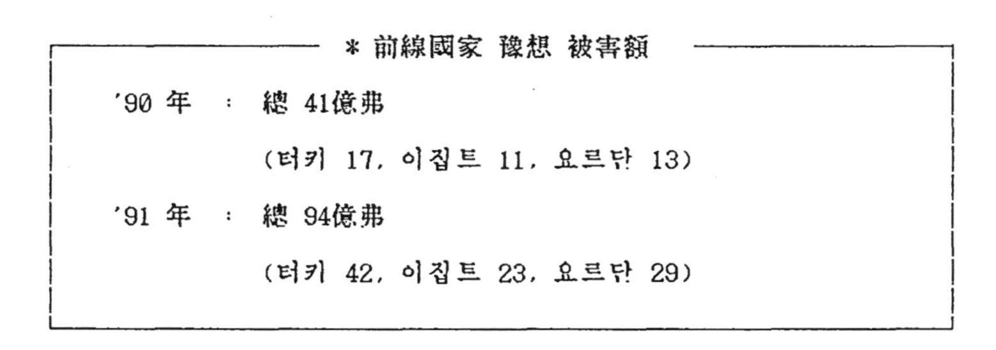

* 前線國家 豫想 被害額

'90 年 : 總 41億弗

(터키 17, 이집트 11, 요르단 13)

'91 年 : 總 94億弗

(터키 42, 이집트 23, 요르단 29)

0086

- 이 집 트 : 軍需物資 700万弗, EDCF 1,500万弗, 생필품 1,000万弗
(總 3,200万弗)
- 터 키 : EDCF 1,500万弗, 生必品 500万弗 (總 2,000万弗)
- 요 르 단 : EDCF 500万弗, 生必品 500万弗 (總 1,000万弗)

o 我國에 대한 支援 要請 與否

- 필 리 핀 : 쿠웨이트 및 이라크內 필리핀 勤勞者(1万名) 本國 緊急 撤收를 위한 支援 要請(民間 航空機 無償 提供 要請)
- 방글라데시 : 現金 援助 또는 自國 勤勞者 送還을 위한 航空機 및 船舶 支援, 國際機構에의 難民 撤收 基金 支援 要請 (被害額 5億9千2百万弗 主張)
- 파키스탄 : EDCF 支援 要請

o 我國과의 既存의 友好 協力 關係

o 中東地域 國家의 境遇, 對象國家가 同 地域에서 갖고 있는 影響力 정도

0087

공

공 란

공 란

공 란

공　　　란

공 란

공 란

7. 財政 支援 供與國 그룹 調整會議

o 第3次 會議 槪要

- 日 時 : 1990. 11月初

- 場 所 : 로마

- 議 題 : 今週 開催 技術委員會에서 確定 豫定

  · 91년도분 支援額 詳細 支出 方案

  · 各國別 支援 內容 詳細

  · 向後 調整會議 運營 問題

  · 前線國家以外의 被害國에 대한 援助 擴大 與否

o 美側은 被害國에 대한 效果的인 援助 提供과 對이라크 經濟 制裁 措置의 實效化를 위한 政治的 考慮의 重要性을 強調

- 國務部側 共同 議長을 McCormack 經濟次官에서 Robert M. Kimmitt 政務次官으로 交替

o 미측은 아국이 美 主導에 異議를 提起하고 있는 EC 等 國家들에 대한 制動國家 役割을 해줄 것을 期待

0095

Ⅲ. 措置事項

1. 旣 措置事項

- 9.20(木) 副總理, 外務, 國防長官, 페灣 事態 關聯 我國 支援 規模 上部 報告
- 9.22(土) 外務長官, 페灣 事態 關聯 我國 支援 規模 增額 上部 報告
- 9.24(月) 外務長官 代理, 政府方針 公式 發表
- 9.27(目) 外務部 主管 關係部處 對策會議
  - 支援 執行 計劃에 관한 具體的 協議
- 9.29(土) 페灣 事態 關聯 支援執行計劃(案) 駐韓 美國大使館側에 槪略的 通報
- 經濟企劃院은 860億원(1.2億弗 相當)을 追更豫算에 水災對策費와 함께 豫備費로 計上 措置中
- 10.8(月) 國會 外務統一 委員會에 "中東 事態" 報告
- 10.10-15 對策班長, 第2次 페灣 事態 財政 支援 供與國 그룹 調整會議 參席 및 對美 協議次 訪美

0096

o 10.16(火) 次官會議에 支援 執行 計劃案 報告

o 10.17(水) 副總理 主宰 對策會議에 支援 執行 計劃案 報告

o 10.18(木) 國務會議에 支援 執行 計劃案 報告

2. 向後 措置 計劃

o 前線國家 3個國 및 기타 受援國에 1次 調査團 派遣, 受援國의 所要 把握

o 各 所管部處別로 割當된 支援金額 範圍內에서 支援 品目別 數量 決定
  - 輸送費 包含한 輸送 計劃 立案 要

o 第3次 페르시아灣 事態 財政支援 供與國 그룹 調整 會議(11月初, 이태리 로마) 參席

o 國會의 追更 豫算 通過와 同時에 國務會議에 豫備費 使用 申請 上程 (執行 計劃 包含)
  - 今年度內 豫算 執行
    · 1億 2千万弗 相當 外交 活動費
    · 1,000万弗 相當 糧穀 支援(糧特基金)
    · 4,000万弗 相當 對外協力基金

0097

Ⅳ. 調査團 派遣

1. 構 成

ㅇ 可及的 高位級 人士를 團長으로 하고 關係部處 局長級으로 構成된 調査團을 派遣함.

- 迅速한 執行 對外 誇示
- 獨自的 對中東 外交 展開(例 : 日本 首相 中東 巡訪)

2. 派遣 時期

ㅇ 支援 對象國 및 國別 支援 規模 確定 즉시 受援國 駐在 我國 大使館에 通報, 受援國과의 協議 即刻 開始

ㅇ 現地 大使館의 協議 進行을 보아 가며 可及的 10月末 내지 11月初 出發

- 國會 日程 考慮

3. 訪問國

ㅇ 前線國家 3個國을 包含 支援 對象國이 8個國에 달하므로 前線國家 3個國 및 사우디, 시리아를 訪問

- 로마 開催 調整會議 參席 連繫 檢討

4. 經 費

ㅇ 行政費 50万弗 配定分에서 支出

0098

페만 사태 관련 지원 집행 계획

관계부처 회의 개최

1. 일 시 : 1990. 10. 22(월) 16:00

2. 장 소 : 외무부 회의실 (817호)

3. 참 석 자 :

청 와 대	김재섭 비서관	
총 리 실	김용 경제과학심의관	
경제기획원	장승우 대조실 제2협력관	조학국 통상 조정1과장 최규조 사무관 503-9144
	예산실	황정중 행정예산과장
[redacted]		
재 무 부	신명호 국제금융국장	한택수 외환정책과장 503-9262/3 권충식 사무관
	이정보 경제협력국장	이상용 경제협력과장 이광호 사무관 503-9274/5, 500-5415/7
국 방 부	윤용남 정책기획관	유진규 연합방위과장 792-7671
	이조택 군수국장	국제군수협력과 795-0071 ext 5725
농수산부	박상우 양정국장 503-7290	박창정 양정과장 503-7291
상 공 부	황두연 상역국장 503-9431	유영상 수출1과장 503-9436/7
교 통 부	최훈 수송정책국장 392-4063	백옥인 해운항만청 외항과장 744-4731, 744-4030/9 ext 301)

0099

페만사태 관련 경제지원 대책회의 검토사항

경협2과

1. 국별 지원액 확정및 지원품목 조속 결정 필요
   - o EDCF, 생필품, 군수물자, 쌀
   - o 지원품목 조속 확정 필요
     - 년말 수출물량의 폭주로 년내 지원 사실상 불가
       단, 지출 원인 행위는 년내 완료, 집행은 내년도로 이월 가능

2. 쌀지원 문제
   - o 미국이 쌀지원에 조건 제시
     - FAO 의 규정 준수
     - 지원량을 전선 3개국(이집트, 터키, 요르단) 부족분 5,000톤 으로 한정
     - 운송비 제외
   - o 미국의 이의 제기로 쌀지원은 사실상 불가
     - 전체 지원금액중 쌀지원 금액 해당분은 삭감 또는 여타 생필품으로 대체 지원

3. 대행업체 지정문제
   - o 중소업체 지원 차원에서 검토
   - o 전체계획 확정시 대행업체 확정 필요

4. 예산조치
   - o 지출 결정한 예비비 조속 외무부에 배정 필요

5. 조사단 파견문제
   - o 파견 여부
     - 파견 또는 해당공관을 통한 교섭 여부 결정
   - o 파견 경비
     - 1차 회의시 지원예산 중에서 지출키로 합의

0100

공　　란

공 란

공 란

공 란

관계부처 회의

페만 사태 관련 지원 집행 계획

관계부처 회의 개최

1. 일　　시 : 1990. 10. 22(월) 16:00

2. 장　　소 : 외무부 회의실 (817호)

3. 참 석 자 :

청 와 대	김재섭 비서관	
총 리 실	김용 경제과학심의관	
경제기획원	장승우 대조실 제2협력관	조학국 통상 조정1과장 최규조 사무관 503-9144
	기획 예산실	황정중 행정예산과장
[redacted]		
재 무 부	신명호 국제금융국장	한택수 외환정책과장 503-9262/3
	이정보 경제협력국장	이상용 경제협력과장 이광호 사무관 503-9274/5, 500-5415/7
국 방 부	윤용남 정책기획관	유진규 연합방위과장 792-7671
	이조택 군수국장	국제군수협력 나승수 795-0071 ext 5725 5722
농수산부	박상우 양정국장 503-7290	박창정 양정과장 503-7291
상 공 부	황두연 상역국장 503-9431	유영상 수출1과장 503-9436/7
고 통 부	최훈 수송정책국장 392-4063	백옥인 해운항만청 외항과장 744-4731, 744-4030/9 ext 301)

0105

지원계획내역(업무분담별)

(1) 대미지원
- ㅇ 현금 5,000만불
- ㅇ 수송 3,000만불 (계) 8,000만불

(2) 대중동국 물자지원
- ㅇ 이집트 1,500만불
- ㅇ 시리아 1,000만불
- ㅇ 터 키 500만불
- ㅇ 요르단 500만불
- ㅇ 모로코 200만불 (계) 3,700만불

(3) 대중동국 EDCF 지원
- ㅇ 이집트 1,500만불
- ㅇ 터 키 1,500만불
- ㅇ 요르단 1,000만불 (계)-4,000만불

(4) 기타지원
- ㅇ IOM 50만불
- ㅇ 유네스코 3-5만불
- ㅇ 레바논
- ㅇ 의료지원

(5) 쌀 지원 (당초 1,000만불)
- 쌀 지원 500만불

(6) 기타
- 예비비 700만불
  - · 쌀지원비 중 500만불
  - · 생필품 중 200만불
- 행정비 50만불
  - · 기집행 20만불
  - · 잔 액 30만불

0106

관리 번호 90-780

페灣 事態 關聯 支援 執行 計劃

（關係部處 局長級 會議資料）

1990. 10.

外　　務　　部

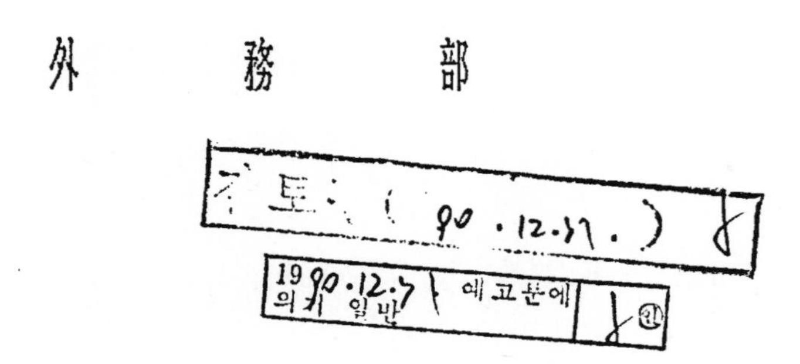

0107

I. 國家別 支援(外務部 暫定案)

1. 支援 內譯

가. 90年

(單位 : 万弗)

支援內譯 / 國別	多國籍軍 活動		周邊國 및 國際機構					計	비고
	現金	輸送	軍需物資	EDCF	生必品	쌀	IOM		
美 國	5,000	3,000						8,000	
이집트			700 (600)	1,500 (2,000)	~~1,000~~ 800 (900)			~~3,200~~ 3000 (3,500)	
터 키				1,500	500 (400)			2,000 (1,900)	
요르단				1.000	~~200~~ 500 (350)		(50)	~~1,200~~ 1000 (900)	
방글라데시					100 (400)	500		600 (400)	
파키스탄			(300)	600	200 (400)			200 (700)	
시리아			600 (400)		400			1,000 (400)	
모로코			200 (100)					200 (100)	

*( )는 從前 支援 計劃

/ 다음장으로 계속

0108

支援內譯 / 國別	多國籍軍 活動			周邊國 및 國際機構				計	비고
	現金	輸送	軍需物資	EDCF	生必品	쌀	IOM		
필리핀						~~500~~		~~500~~	久
I O M							50	50	
其他(行政費)					50			50	신설
小 計	5,000	3,000	1,500	4,000	2,450	4,500	50	~~17,000~~	
計	9,500			7,500				17,000	

나. 91年

(單位 : 万弗)

	多國籍軍 活動	周 邊 國	計
支援 規模	2,500	2,500 3,000	~~5,000~~ 5,500

2. 支援 對象 國家 및 規模 決定時 考慮事項

ㅇ 美側은 我國의 支援 對象國 選定 및 支援 規模 決定에 대해 理解 表示

- 修交 目的을 위한 對시리아 援助 方針 等

0109

o 調査團 派遣 等 追加經費는 原則的으로 支援費內에서 支出하기 위하여 生必品 支援 部分中 50万弗을 行政 經費로 確保

- 美國側에 이미 通報, 異議提起 없었음.

o 輸送經費는 各國別 支援額에 包含

o 多國籍軍 活動에 대한 寄與度 및 修交 基盤 造成 等 外交的 必要性을 감안, 이집트 및 시리아에 대한 特別 考慮

* 國別 派兵 現況

- 이 집 트 : 19,000名
- 시 리 아 : 15,000名
- 모 로 코 : 1,200名
- 방글라데시 : 5,000名
- 파키스탄 : 5,000名

o 對이라크 經濟 制裁 措置 參與로 인한 經濟的 被害 狀況을 감안, 周邊 3個 前線國家에 重點 援助

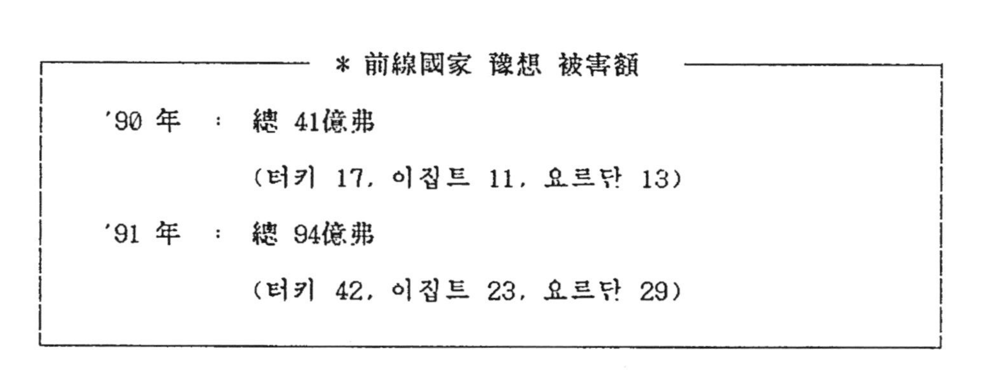

* 前線國家 豫想 被害額

'90 年 : 總 41億弗
(터키 17, 이집트 11, 요르단 13)

'91 年 : 總 94億弗
(터키 42, 이집트 23, 요르단 29)

0110

- 이 집 트 : 軍需物資 700万弗, EDCF 1,500万弗, 생필품 1,000万弗
  (總 3,200万弗)
- 터 키 : EDCF 1,500万弗, 生必品 500万弗 (總 2,000万弗)
- 요 르 단 : EDCF 500万弗, 生必品 500万弗 (總 1,000万弗)

o 我國에 대한 支援 要請 與否
- 필 리 핀 : 쿠웨이트 및 이라크內 필리핀 勤勞者(1万名) 本國 緊急 撤收를 위한 支援 要請(民間 航空機 無償 提供 要請)
- 방글라데시 : 現金 援助 또는 自國 勤勞者 送還을 위한 航空機 및 船舶 支援, 國際機構에의 難民 撤收 基金 支援 要請 (被害額 5億9千2百万弗 主張)
- 파키스탄 : EDCF 支援 要請

o 我國과의 旣存의 友好 協力 關係

o 中東地域 國家의 境遇, 對象國家가 同 地域에서 갖고 있는 影響力 정도

0111

공 란

공 란

공 란

공 란

공 란

공 란

공 란

7. 財政 支援 供與國 그룹 調整會議

o 第3次 會議 概要

- 日 時 : 1990. 11月初

- 場 所 : 로마

- 議 題 : 今週 開催 技術委員會에서 確定 豫定

· 91년도분 支援額 詳細 支出 方案

· 各國別 支援 內容 詳細

· 向後 調整會議 運營 問題

· 前線國家以外의 被害國에 대한 援助 擴大 與否

o 美側은 被害國에 대한 効果的인 援助 提供과 對이라크 經濟 制裁 措置의 實効化를 위한 政治的 考慮의 重要性을 強調

- 國務部側 共同 議長을 McCormack 經濟次官에서 Robert M. Kimmitt 政務次官으로 交替

o 미측은 아국이 美 主導에 異議를 提起하고 있는 EC 等 國家들에 대한 制動國家 役割을 해줄 것을 期待

0119

Ⅲ. 措置事項

1. 旣 措置事項

ㅇ 9.20(木) 副總理, 外務, 國防長官, 페灣 事態 關聯 我國 支援 規模 上部 報告

ㅇ 9.22(土) 外務長官, 페灣 事態 關聯 我國 支援 規模 增額 上部 報告

ㅇ 9.24(月) 外務長官 代理, 政府方針 公式 發表

ㅇ 9.27(目) 外務部 主管 關係部處 對策會議
 - 支援 執行 計劃에 관한 具體的 協議

ㅇ 9.29(土) 페灣 事態 關聯 支援執行計劃(案) 駐韓 美國大使舘側에 槪略的 通報

ㅇ 經濟企劃院은 860億원(1.2億弗 相當)을 追更豫算에 水災對策費와 함께 豫備費로 計上 措置中

ㅇ 10.8(月) 國會 外務統一 委員會에 "中東 事態" 報告

ㅇ 10.10-15 對策班長, 第2次 페灣 事態 財政 支援 供與國 그룹 調整會議 參席 및 對美 協議次 訪美

0120

ㅇ 10.16(火) 次官會議에 支援 執行 計劃案 報告

ㅇ 10.17(水) 副總理 主宰 對策會議에 支援 執行 計劃案 報告

ㅇ 10.18(木) 國務會議에 支援 執行 計劃案 報告

2. 向後 措置 計劃

ㅇ 前線國家 3個國 및 기타 受援國에 1次 調査團 派遣, 受援國의 所要 把握

ㅇ 各 所管部處別로 割當된 支援金額 範圍內에서 支援 品目別 數量 決定
  - 輸送費 包含한 輸送 計劃 立案 要

ㅇ 第3次 페르시아灣 事態 財政支援 供與國 그룹 調整 會議(11月初, 이태리 로마) 參席

ㅇ 國會의 追更 豫算 通過와 同時에 國務會議에 豫備費 使用 申請 上程 (執行 計劃 包含)
  - 今年度內 豫算 執行
    · 1億 2千万弗 相當 外交 活動費
    · 1,000万弗 相當 糧穀 支援(糧特基金)
    · 4,000万弗 相當 對外協力基金

0121

Ⅳ. 調査團 派遣

1. 構 成

ㅇ 可及的 高位級 人士를 團長으로 하고 關係部處 局長級으로 構成된 調査團을 派遣함.

- 迅速한 執行 對外 誇示
- 獨自的 對中東 外交 展開(例 : 日本 首相 中東 巡訪)

2. 派遣 時期

ㅇ 支援 對象國 및 國別 支援 規模 確定 즉시 受援國 駐在 我國 大使舘에 通報, 受援國과의 協議 即刻 開始

ㅇ 現地 大使舘의 協議 進行을 보아 가며 可及的 10月末 내지 11月初 出發

- 國會 日程 考慮

3. 訪問國

ㅇ 前線國家 3個國을 包含 支援 對象國이 8個國에 달하므로 前線國家 3個國 및 사우디, 시리아를 訪問

- 로마 開催 調整會議 參席 連繫 檢討

4. 經 費

ㅇ 行政費 50万弗 配定分에서 支出

예고: 90.12.31 일반

0122

걸프만 사태 피해국 지원 관계부처 대책회의

10. 22 (월)

(결정사항)

- ㅇ 국별지원계획수립, 주재공관에 통보, 수원국과 협의착수 지시
- ㅇ 정부조사단 파견
- ㅇ (주) 고려무역을 지원대행업체로 지정
- ㅇ 시리아에 1천만불 무상원조(군수품 600만불, 민수품 400만불)
- ㅇ 행정비로 50만불 설정

(상 공 부)

- (주) 고려무역의 대행업체 지정 요망
- 군수품은 국방부와 협의, 품목선정
- 수원국마다 단일화된 창구(외무부내) 설정요망

(국 방 부)

- 방독면등 5개품목만 지원군수품으로 설정 바람직

(경제기획원)

- 90년 제2차 추경예산 계상된 860억, 12월초 국회통과 예상, 외교 활동비로 배정 예정
- 90년도중 해외경상이전 항목으로 일부액만 집행하더라도 잔액을 사고 이월시키면 91년도 집행이 가능

(외 무 부)

- 중동지역 철수공관 직원 피해보상보전절차 마련을 위한 각부처 관심요망

0123

걸프事態 關聯 支援業務 推進現況

1. 槪 要

가) 支援約束內譯

(1990년도 支援 內譯)　　　　單位 : 萬弗

支援內譯 / 國家	多國籍軍 活動			周邊國 및 國際機構				計
	現 金	輸 送	軍需物資	EDCF	生必品	쌀	I O M	
美 國	5,000	3,000						8,000
이 집 트			700	1,500	800			3,000
터 키				1,500	500			2,000
요 르 단				1,000	500			1,500
시 리 아			600		400			1,000
모 로 코			200					200
방글라데시						500		500
I O M							50	50
行 政 費					50			50
豫 備 費					200	500		700
小 計	5,000	3,000	1,500	4,000	2,450	1,000	50	17,000
計	9,500			7,500				17,000

	多國籍軍 支援	周邊被害國 支援	合 計
1990 년	9,500	7,500	17,000
1991 년	2,500	2,500	5,000
合 計	12,000	10,000	22,000

0124

나) 被害國 支援을 위한 調査團 派遣

ㅇ 유종하 次官을 團長으로 하는 調査團을 10.28-11.6.까지 이집트, 요르단, 시리아, 터키, 4개국 派遣하고 支援額 通報, 支援可能 品目目錄을 提示함.

ㅇ 상기 4개국 및 모로코는 我國 公館을 통해 希望品目을 要請해오고 있는바 상세는 아래와 같음.

다) 방글라데시에 대한 500만불 상당 쌀 支援은 世界 농산물시장 秩序를 攪亂시킬수 있는 憂慮가 있어 FAO 및 농산물 輸出國과의 協議가 必要하다는 美國側 立場에 따라 推進 保留中임.

라) 國內豫算 措置는 國會本會議에서 130백만불 執行을 위해 860억 追更豫算으로 通過

2. 被害國 지원 推進現況

가) 이집트(총 3,000만불)

ㅇ 軍需用(700만불)

- 11.28. 이집트측, 品目선정을 위한 군수조달참모등 4명의 軍需 전문가단 派韓提議 (經費는 支援費에서 支出)

0125

- 11.29. 이집트 軍需전문가단 派韓 肯定 檢討 回報(我國産 防産品 弘報機會 감안)
- 12.12. 이집트측 立場 早速 通報토록 督促했으나 상금 未接受

o 民需用(800만불)

- 12.11. 이집트측, 동 資金 800만불을 住民登錄電算化 事業費 일부로 전용해줄것 要請하고 있으나 상금 이집트 政府關係部處間 協議가 끝나지 않은 狀態임.
- 12.12. 同 事業 總所要資金 充當計劃등 詳細把握 報告토록 指示

※ 이집트 住民登錄電算化 事業

- 90. 7월 이집트 住民廳長訪韓, 관계기관 시찰
- 총 사업비 5,000만불 이상 소요
- 我國 전문가 2명 1개월간 현지파견 조사중
- 90.12월초 아국관계자들 현지 방문, 협의

o EDCF 자금 (1,500만불)

- 사업계획서 미접수

나) 터 키 (총 2,000만불)

o 民需用 (500만불)

- 터키측 최종 입장 아국 공관접수

0126

o EDCF 資金 (1,500만불)

- 12.14. 我國産 上水道用 파이프(Ductile Pipe)購入에 使用希望

다) 요르단(총 1,500만불)

o 民需用 (500만불)

- 설탕 1,000톤(60만불), 미니버스 50대(128만불)외 쌀 (312만불) 支援要望

- 쌀 支援에 대한 農水産部 意見 問議中

o EDCF 資金(1,000만불)

- 廢水處理工場 事業計劃書 我國 公館 接受

라) 시리아 (1,000만불)

- 시리아 國防長官, 1,000만불 全額 미니버스로 支援希望 書信發送

- 外交經路(駐日大使館)를 통해 交涉 希望 提議했으나 상금 回信 未接受

마) 모로코(200만불)

- 12.14. 希望品目 7개 提示(방독면, 텐트등)

- 現在 發送 準備中

0127

3. 美國 및 其他

가) 美國 (총 8,000만불)

ㅇ 現金 支援(5,000만불)

- 豫算 配定遲延으로 상금 未執行中

ㅇ 輸送 支援(3,000만불)

- 我國 船舶 이용한 輸送 支援은 旣實施
- 經費支出은 豫算配定後 곧 執行豫定

나) 유네스코

- 11.27. 유네스코 事務局 걸프事態 關聯 難民學生 特別敎育事業 支援要望(總 所要額 189만불)
- 豫備費에서 3-5만불이내 소규모 支援 檢討中

다) 의료단 支援건

- 11.30. 사우디측에 軍移動 外科 病院 派遣 가능성 通報
- 12. 5. 사우디 外務次官, 關係機關 協議 하겠다고 答辯

라) 쌀

- 방글라데시 支援 및 豫備用 각 500만불 상당 配定
- FAO 協議, 농산물 輸出國 協議등 절차의 複雜性 및 美國側의 異議로 현재 保留中

0128

4. 措置計劃

ㅇ 對開途國 無償援助 方式에 準據하여 豫算會計法上 대행 業體指定 및 隨意契約 締結 豫定

ㅇ 援援國의 行政未備關係로 금년내 豫算執行 못하는 경우 會計法上 사고이월로 處理, 내년 執行 豫定

0129

공 란

공 란

공 란

공

공 란

공 란

Ⅰ. 國家別 支援

1. 支援 內譯

가. 90年

(單位 : 万弗)

支援內譯 / 國別	多國籍軍 活動			周邊國 및 國際機構				計	비고
	現金	輸送	軍需物資	EDCF	生必品	쌀	IOM		
美 國	5,000	3,000						8,000	
이집트			700	1,500	1,000			3,200	
터 키				1,500	500			2,000	
요르단				1,000	200			1,200	
방글라데시						500		500	
시리아			600		400			1,000	
모로코			200					200	
I O M							50	50	
其他(行政費)					50			50	
豫備					300	500		800	
小 計	5,000	3,000	1,500	4,000	2,450	1,000	50	17,000	
計	9,500			7,500				17,000	

0136

나. 91年

(單位 : 万弗)

	多國籍軍 活動	周 邊 國	計
支援 規模	2,500	2,500	5,000

0137

걸프 事態의 現況 및 展望

1990. 10. 24.

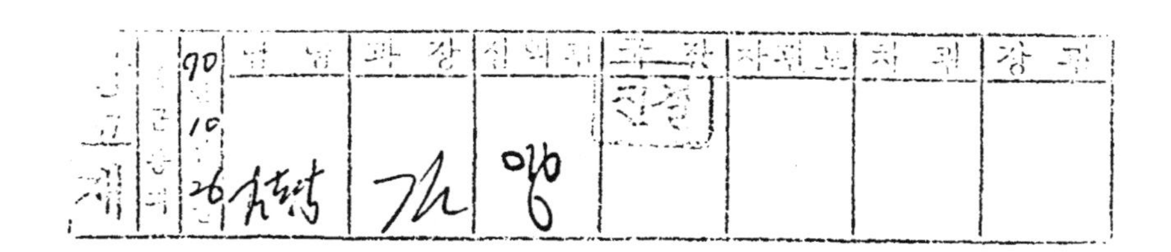

外 務 部

0138

1. 事態 現況

o 걸프事態는

- 事態 勃發(8.2) 以來 約3個月이 經過되는동안
- 美國은 凡世界的인 呼應을 얻어 對이라크 經濟 封鎖 措置와 21여만명의 美地上軍을 포함 35만 여명의 多國籍軍을 걸프 地域으로 配置 完了하고
- 쿠웨이트로 부터 이라크軍을 逐出하기 위한
- 軍事的 行動의 決定을 留保한채
- 이라크에 대한 撤軍 壓力을 加重하고 있음

o 사담 후세인 이라크 大統領은

- 쿠웨이트 地域 一部 割讓을 전제로 撤軍 可能性을 示唆하는 한편
- 美國의 이라크에 대한 不侵 保障만 있다면
- 外國人 人質을 全員 釋放할 意向이 있다고 表明하고
- 美國과의 頂上會談을 提議(10.23)하면서
- 美.英 人質 一部를 釋放(10.23 64명)시켰으며
- 불란서 人質 全員(3백30명), 불가리아인 6백90명의 出國 許容案을 議會에서 通過시키는등
- 宥和的 態度를 보이고 있으며

o 美國側은

- 이라크의 外交的 協商 提議에도 不拘하고
- 걸프事態 問題 解決에는 이라크軍의 無條件 撤收外에 어떠한 妥協도 있을수 없다고 再闡明(10.23 부쉬)하므로써 對이라크 强硬立場을 固守하고 있음

0139

o 사우디 - - -

2. 分析 ~~및 展望~~

o 最近 사담 후세인 이라크 大統領의 對西方 宥和제스쳐 및 對美 協商 提議는

- 美國을 비롯한 多國籍軍이 配置 完了된 狀況에서 美國의 攻擊을 回避하는 同時에
- 多國籍軍 派遣國의 人質들을 選別的으로 釋放함으로써
- 多國籍軍 參與國家의 結束을 이완시키고 美國과 불란서등의 協調 體制를 攪亂시킬 뿐만 아니라 對美協商 與件 造成을 위한 策略으로 分析됨

o 또한 ~~美國 主導의 對이라크 戰線에서 前衛 役割을 맡고있는~~ 사우디 아라비아가 쿠웨이트 領土 一部 割讓 可能性을 示唆하는등 最近 이라크에 대한 宥和的 立場을 비치고 있는것은,

- 美軍의 사우디 駐屯에 대한 아랍권 一部의 反應이 否定的일 뿐만 아니라
- 이라크에 대한 美國의 攻擊時 사우디가 당할 엄청난 被害와 隣近 아랍권 全體의 被害를 우려,
- 事態를 政治的으로 解決해 보려는 진정한 아랍권의 움직임으로 보아야 할 것임

0140

o 부쉬 美 行政府는

- 現在 21만명의 美軍 외에도 10만명에 가까운 重武裝 탱크 機甲師團을 增派시키는 方案을 檢討하고 있으며,
- ~~現在 35만 여명의 걸프만 駐屯 多國籍軍에 美地上軍의 追加 派兵이 이루어질 경우,~~
- 이는 現在까지의 이라크에 대한 防禦 자세에서 攻擊 態勢로 轉換하는 것으로 보아야 하며 이라크가 쿠웨이트를 撤收치 않을 경우 武力行事가 不可避하다는 美國의 嚴重한 警告로 判斷해야 할것임

3. 展望 ~~o 그러나~~ 對이라크 攻擊에 따른 制限的 要因을 감안할때 美國도 攻擊 決定을 내리기는 容易치 않을 것이므로 現在의 經濟 封鎖 效果를 點檢하고

- 당분간(2-4개월) 對이라크 經濟 封鎖 및 軍事的, 外交的 壓力을 極大化 시키면서
- 아랍 諸國間 調整을 통하여 이라크軍을 自進 撤收시키고, 쿠웨이트 合法 政府를 復歸 시킨후
- ~~아랍권의 兄弟愛를 바탕으로~~ 쿠웨이트측이 이라크에 부비안섬등을 할양하는 妥協案을 美側이 收容할 可能性도 排除할수 없음

0141

o 美國의 軍事.外交的 壓力에도 不拘하고

- 이라크의 自進 撤收 機微가 보이지 않을 경우 美國으로서는
- 脫 冷戰의 新秩序 定立에 있어 美國의 當初 目標 撤回 또는 妥協이 어려울 뿐만 아니라
- 對이라크 經濟 封鎖의 完全한 效果 期待가 不透明하며, 걸프만 軍事 介入에 대한 支持 減少, X-마스 前後 派兵 家族 反戰 團體等 反戰勢力 擡頭 可能性等 事態 收拾이 必要한 美國內 事情 그리고 事態의 長期化時 美國 經濟에 미치는 影響과 92년 大統領 選擧에 작용할 影響을 考慮하고
- 또한 사우디가 可及的 明年 라마단(91.3.16) 開始 以前에 外國軍 撤收를 希望하는 立場등 諸般 狀況에 비추어
- 同 事態 解決을 위하여 明年 3月 以前까지는 美國은 武力 使用 以外에 어떠한 代案이 없을것으로 봄

o 또한 武力 使用을 통하여 이라크의 化學武器, 핵施設等을 此際에 除去하지 않을 경우,

- 걸프 域內에서의 이라크의 侵略 威脅이 常存하게 되므로
- 域內 勢力 均衡을 위한 戰略的 次元에서도 이라크의 軍事的 弱化가 必要하다는 主戰論者들의 主張이 美行政府의 政策 決定에 影響을 미칠 可能性도 많음

o 따라서 이라크측이 쿠웨이트 撤收를 長期間 遲延시킬 경우 美側은 유엔 安保理를 통하여 對이라크 軍事制裁 決議後 유엔의 旗幟下에 事態의 軍事的 解決을 試圖할 것으로 展望되며 蘇聯도 이에 反對하지는 않을 것으로 봄

0142

國會 豫想 質疑 答辯 資料

1990. 10. 25.

外 務 部

0143

o 中東情勢 現況 및 展望

〈答 辯 要 旨〉

o 最近 걸프事態는 이라크가 쿠웨이트 併合을 기정 事實化 하기 위하여 이라크人과 팔레스타인 人을 大擧 쿠웨이트로 移住 시키므로서 쿠웨이트의 運命을 國民投票로 決定할 경우에 對備하는 한편

o 이라크는 國際的 孤立 脫皮와 經濟 封鎖 打開를 위해 最善의 努力을 競走하고 있으며 對西方 人質 釋放 및 宥和 措置를 취하여 美國의 攻擊으로부터 回避코자 함.

o 美國은 對 이라크 經濟封鎖 强化에 主力하며 연말경까지 經濟 封鎖 效果를 再檢討하여 經濟 封鎖 또는 軍事 行動의 必要性 與否를 決定 하게될 것으로 봄.

0144

o 最近 사담 후세인 이라크 大統領의 對西方 宥和제스쳐 및 對美 協商 提議는

- 美國을 비롯한 多國籍軍이 配置 完了된 狀況에서 美國의 攻擊을 回避하는 동시에
- 多國籍軍 派遣國의 人質들을 選別的으로 釋放함으로써
- 多國籍軍의 結束을 이완시키고 美國과 불란서등의 協調 體制를 攪亂시키려는 策略으로 分析됨

o 또한 美國 主導의 대이라크 前線에서 前衛 役割을 맡고있는 사우디 아라비아가 公式的으로 否認은 하였으나

- 最近 이라크에 대한 宥和的 立場을 비치고 있는것은,
- 美軍의 사우디 駐屯에 대한 아랍권 一部의 反應이 否定的일 뿐만 아니라
- 이라크에 대한 美國의 攻擊時 사우디가 당할 엄청난 被害와 隣近 아랍권 全體의 被害를 憂慮,
- 同 事態를 政治的으로 解決해 보려는 진정한 아랍권의 움직임으로 보아야 할 것임

0145

o 이라크는 名分있는 撤軍을 위해 各方으로 協商提議와 持久戰으로 現狀 固着化를 試圖할 것이며, 美國側은 安保理가 決議한 쿠웨이트 원상복구 條件을 양보하지 않을 것으로 보이나, 自進 撤軍時 쿠웨이트로 하여금 페만 出口 할양 條件等 最小限의 撤軍 名分을 주어 問題를 妥結함으로써 쿠웨이트 撤軍을 實現시킬 可能性이 있음

o 이라크가 自進 撤收하지 않을 경우에 美國側은 軍事的, 政治的, 外交的, 經濟的 壓力을 主內容으로 한 戰略에서, 本格的이며 强力한 軍事的 解決 方案을 準備하는 戰略으로 轉換할 것임

0146

90-1451

" 우리모두 참여속에 인구주택 바른조사 "

해 운 항 만 청 (KOREA MARITIME AND PORT ADMINISTRATION)

외항 33720-14 (744-4731) 1990. 10. 29

수신 외무부장관

참조 통상국장

제목 대 이라크 경제제재

1. 통일 2065-2525('90.10.18)관련입니다.

2. 귀부에서 요청한 유엔 안보리결의 661호(대 이라크 경제제재)이행 상황에 관한 질의서에 대하여 아래와 같이 당청조치 내용을 회신합니다.

- 아 래 -

ㅇ '90.9.10 대 이라크 무역특별조치 실시(각 지방청, 한국선주협회)
  - 상공부의 대외 무역법 제4조 규정에 의한 무역에 관한 특별조치 이행지시

ㅇ '90.9.21 이라크/쿠웨이트 사태에 따른 화물선적 (한국선주협회)
  - UN 안보리 대 이라크 경제제재 조치와 관련 이라크/쿠웨이트를 최종 목적지로 하는 화물 및 동지역에 환적될 소지가 있는 화물 제3국항에 운송금지

ㅇ '90.10.12 대 이라크 경제제재(각 지방청)
  - UN 안보리 결의 661호 위반 이라크 선적선박 우리항만 입항할 경우 억류, 입항 거부토록 지시

0147

외항 33720-74 1990. 10. 29

o '90.10.25 대 이라크 경제제재(한국선주협회)

- UN 안보리 대 이라크 경제제재와 관련 미국측 TALKING POINTS 에 대하여 이라크에 대한 국적선 재선 및 용선금지 하고 동 사항이 있을경우 당청에 즉시 통보토록 조치. 끝.

해 운 항 만 청 장

0148

보 도 자 료

(이라크/쿠웨이트지역 취항금지 및 국적선 회항조치)

o 해운항만청은 이라크/쿠웨이트 사태로 인한 페르시아만의 긴장이 고조되자 '90.8.9 북위 28 15" 이북지역에 대한 국적선 취항을 전면 금지하도록 전 해운선사에 긴급 지시하는 한편, 이라크와 이란 항만에 기입항중에 있었던 국적선 (공선) 2척을 긴급 회항 조치하였슴.

o 해운항만청의 이같은 조치에 따라 이라크 움크라스항에 입항중에 있던 범양상선의 팬라이저호(17천 G/T급)는 '90.8.11 이라크를 출항하여 회항중에 있으며, 또한 이라크의 접경지역에 위치한 이란의 반달 호메이니항에 정박중이던 현대상선 소속 현대 8호 (12천G/T급)도 당초 8.15 회항 예정이었으나 일정을 앞당겨 '90.8.11 긴급 회항시켰슴.

o 한편 당초 이라크와 쿠웨이트에 입항 계획이었던 유공해운(주)의 유조선 2척은 해운항만청의 이라크와 쿠웨이트 취항금지 조치에 따라 UAE 나 카타르로 전배하여 원유를 수송토록 운항계획을 변경하였슴.

o 해항청의 이같은 조치는 전쟁위험 지역에서의 국적선 보호(출) 위해 취해진 조치로서 오늘 현재 전쟁위험이 가장높은 페르시아만의 북위 29° 15" 이북지역에 남아있는 선박은 한척도 없게 되었슴.

o 해항청은 미해군이 선포한 작전지역(동경 54 30" 이서지역)내에서의 우리국적선 보호를 위해 주미 해무관을 통하여 미 해군 당국과도 긴밀한 협조 체제를 강구하므로서 사우디아라비아, UAE , 카타르 지역을 항행하는 선박에 대한 안전조치를 취한바 있다.

0149

면 담 요 록

1. 면담일시 및 장소 : 90.10.30(화) 10:30

2. 면 담 자 : - Jan Marcussen 주한 덴마크대사
   - 윤 지 준 국제경제국 심의관
   (홍 성화 기술협력과 사무관 배석)

3. 면 담 내 용 : 폐만사태관련, 경비분담문제 및 아국경제에 미치는 영향 논의

심의관 발언 요지

o 페만사태 관련, 경비분담에 관한 차관님 발표문 전달

o 페만사태가 아국경제에 미치는 영향 설명
  - 아국은 에너지, 수출, 건설에 있어 해외의존도 지대
  - 원유가가 배럴당 1달러 상승시, 년 3.3억불의 원유수입비용 추가 부담
  - 원유가 $25 경우, '91년도 GNP 2.5% 감소 효과
  - 원유가 $1 상승시, 도매자 물가지수 0.44%, 소비자 물가지수 0.07% 상승 효과
  - 건설 미수금등 약 10억불 손해 예상
    (신규수주 중단으로 인한 피해는 별도)
  - 수출 약 2억불 손실 예상

o 원유가 인상에 따른 국내 유가인상 요인은 우선 석유사업기금으로 흡수 예정이나, 동 기금 사용시기, 방법등 상세는 동자부 소관

공람	기술협력과	90년 10월 30일	담 당	과 장	국 장	차관보	차 관	장 관
			홍성화	[서명]	[서명]			

0150

덴마크 대사 발언 요지

o 덴마트는 북해유전으로 약 90% 원유를 자급자족하고 있으므로 단기적으로는 페만사태 영향이 그리 크지 않음.

- 단, 덴마크는 원자력 발전을 하고 있지 않기 때문에 화석연료를 많이 사용하고 있는 바, 환경오염문제등으로 인한 화석연료규제 경향으로 에너지 자급자족율 저하 예상

o 그러나 장기적으로는 대 이라크·쿠웨이트 수출중단, 건설진출 중단으로 영향이 클 것으로 예상

- 덴마크는 수출의존국가 (이라크에 foodstuff 수출해왔음)

※ 덴마크는 동독에 수출이 많았는 바, 독일통합으로도 수출에 부정적 영향 예상

o 덴마크는 페만사태로 인한 피해 주변국 (이집트)에 경제적 원조 계획 (상세내용 추후 통보하겠음)

o 현재 해군선박을 페만에 파견, UN 의 경제제재조치 이행 감시활동에 참여중

o 필요시 병원선 파견도 고려중.

0151

(添附 2)

페灣 事態 支援 政府 發表文

o 政府는 最近 페르시아만 事態와 關聯한 多國籍軍의 經費를 分擔하고, 對이라크 經濟制裁 措置로 인하여 被害를 입고 있는 國家들에 대한 經濟的 支援을 해 달라는 友邦國들의 要請을 接受하고, 이 問題를 檢討해 왔음.

o 政府는 國際社會에서 武力에 의한 不法的인 侵略行爲가 容認되어서는 안된다는 國際法과 國際正義에 立脚하여 UN 安保理의 對이라크 制裁 決議를 尊重하고, 我國의 신장된 國威에 副應하여 國際 平和 維持 努力에 一翼을 擔當해야 한다는 判斷下에 페르시아만의 秩序 回復을 위한 國際的 努力을 支援키로 決定하였음.

o 同 決定을 함에 있어서, 總原油需要의 75%를 中東으로부터 導入하는 우리나라로서는 中東事態의 早速한 解決을 통한 原油의 自由로운 需給秩序 回復과 油價 安定이 貿易收支 및 物價安定 等 國益에 크게 도움이 된다는 점을 특히 考慮하였음.

o 政府는 多國籍軍의 經費로 航空機, 船舶等 輸送手段의 提供과 防毒面, 軍服 등의 現物 支援을 包含하여 1億2千万弗 範圍內에서 特別 支援키로 決定하였음.

25

0152

o 또한 今番 事態로 經濟的 被害를 입고 있는 周邊國(요르단, 터키, 이집트 等 3個 前線國家)에 대하여는 政府 保有米 30,000톤(1千万弗 相當)을 支援하고 開途國에 대한 長期 低利 借款인 對外 協力 基金(EDCF) 4千万弗 및 同 周邊國의 必要 現物等을 支援하며, 各國의 難民 輸送을 支援하기 위해 國際 移民機構(I.O.M.)에 대해서도 50万弗을 寄與할 豫定임. 이러한 支援은 總1億弗 範圍內에서 이루어질 것임.

o 이와 별도로 政府는 醫療團을 派遣할 것을 肯定的으로 檢討中이며, 具體的인 派遣 計劃은 關聯國과의 協議를 거쳐 決定할 것임.

o 이러한 支援規模 및 方法을 決定함에 있어서 政府는 他 友邦國들의 支援內容을 考慮하였으며, 現在의 어려운 國內 經濟狀況과 특히 最近 洪水 被害로 인한 財政負擔 等을 充分히 감안하였음.

o 政府는 페르시아만 事態 解決을 위한 國際的 努力이 結實을 맺어 이 地域의 平和와 安定이 早速 回復되기를 希望하는 바임.

0153

o The Government of the Republic of Korea has received requests from friendly countries for favorable consideration to render financial and material support to multinational defense efforts and to countries whose economies are serionsly affected by economic sanctions against Iraq.

o Upholding the international law and justice by which armed aggression should not be tolerated in the international society, the Korean government supports the United Nations Security Council resolutions including the one imposing economic sanctions against Iraq. As a member of the international community, we believe that we should bear a fair share in the international efforts to maintain world peace and stability, thus helping restore the order in the Gulf area.

o In making this decision, the Korean government has taken into consideration the fact that an early settlement of the Middle East crisis would ensure the smooth supply of oil and stabilization of its price as well as help maintain peace and stability in that region. As Korea is dependent 75% of the need on oil imported from the Middle East, the stabilized oil supply system will undoubtedly help Korean economy in her balance of trade.

o The Korean government decided to support multinational defense efforts by providing air and maritime transportation facilities and services including in-kind contributions such as military uniforms and gas masks within the range of equivalent to 120 million U.S. dollars.

o In addition to the above-mentioned support, the Korean government will provide the front-line states such as Jordan, Turkey and Egypt whose economies are seriously affected by the imposition of economic sanctions with 30,000 tons of rice equivalent to 10 million U.S. dollars. We will also use 40 million U.S. dollars from the existing Economic Development Cooperation fund which provides loans of long-term and low-interest for third world countries. Also some goods such as the necessaries of life will be provided to the three front-line states. And another half million U.S. dollars will be contributed to the International Organization on Migration to assist in the refugee transportation effort in Gulf region. These economic assistance program will be within the range of 100 million U.S. dollars.

o Additionally, the Korean government is now considering favorably the dispatch of a medical team and the detailed plans will be worked out in consultation with the countries concerned.

o In determining the scale and method of support, the Korean government has fully taken into consideration the supports given by other friendly countries, the present domestic economic difficulties and particularly an imminent national budgetary and financial burden which we face due to the recent flood.

o The Korean government sincerely hopes that peace and stability in that area will be restored through the concerted international efforts for a peaceful settlement of the Gulf crisis.

0156

29

경　　제　　기　　획　　원

산사 10440-366　　(503-9077)　　1990. 10. 30

수신 외무부 장관

제목 『페르시아』만 사태관련 특별위원회 제 2차 회의결과 통보

1. 산사 10440-342 ('90. 10. 12)와 관련입니다.

2. 『페르시아』만 사태관련 특별위원회 제2차 회의 결과를 별첨과 같이 통보하오니, 귀 부처 해당사항의 추진에 만전을 기해 주시기 바랍니다.

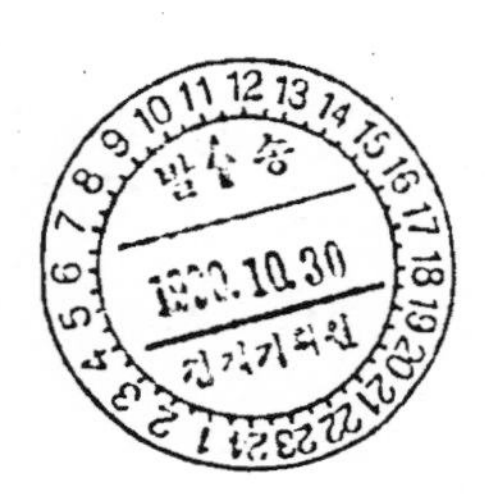

첨 부 : 제 2차 『페』만 특위 회의결과 보고

경　　제　　기　　획　　원　　장

30635

0157

공 란

공 란

공 란

最近걸프情勢

1990. 11. 12.

外 務 部

0161

1. 狀 況

가. 軍事 動向

o 最近 걸프地域 軍事 對峙 動向은

- 이라크側이 地上軍 43萬名을 사우디 國境 및 쿠웨이트에 配置 完了하고

. 2,800대의 電車가 戰線에 配置된 狀態 下에

. 800萬 豫備軍을 動員, 被擊時 全面戰 및 이스라엘 攻擊 可能性 示唆

- 한편, 美國側은 23萬名의 美地上軍 包含 多國籍軍 33萬名의 兵力과

. 航空母艦 包含 100餘隻의 艦艇을 걸프域內에 配置한 狀態에서

. 追加로 3隻의 航空母艦 包含 20萬名의 美軍 派兵計劃 發表(11.9)

나. 外交 動向

o 사담 후세인 이라크 大統領은

- 西方人質 選別 釋放等 對西方 宥和 제스쳐와

- 事態를 政治的으로 解決하기 위한 協商 提議

o 反 이라크 陣營은

- 프리마코프 蘇聯 大統領 特使가 2次에 걸친 中東 및 美國을 訪問 仲裁 努力

. 10.5, 28 사담 후세인 面談, 사우디.이집트등 巡訪

. 부쉬 美 大統領 面談(10.19)

0162

- 佛.蘇 頂上 會談(10.29)時, 事態의 平和的 解決 方案 摸索
  . 會談後 Gorvachev 蘇 大統領은 武力使用 反對 表明
  . 凡 아랍圈 會議 開催 提議
- 이어 베이커 美 國務長官이 사우디.이집트.시리아.터키.
  영국.불.소련 訪問 (11.3-9)
  . 關聯國 外務長官, 國家元首 面談을 통하여 연대감을
    공고히 하고 이라크 攻擊時 協調體制 確保 交涉
- 외잘 터키 大統領 이란 訪問(11.10)
  . 이란에 對이라크 安保理 制裁 措置 遵守 當付
- 전기침 外交部長, 이집트.사우디.요르단.이라크 訪問(11.6-13)
  . 武力使用 承認 유엔 決議案 推進 時期尙早 表明
- 부쉬 美國 大統領 獨.佛.사우디等 巡訪計劃(11.16-22) 發表

다. 財政 支援 供與國 調整會議

o 90.11.5. 로마 開催
  - 25個國, 4個 國際機構 代表 參席
  - 我側 권병현 本部大使 外 4名 參席
o 主要 討議 事項
  - 對이라크 經濟 制裁 效果 檢討
    이라크 原油 輸出 禁止로 150億弗 損失
    이라크 收入 10% 減少 이라크軍 打擊
    요르단 經濟 制裁 同參 滿足 水準
    시리아.모로코가 重要한 協調國임을 評價

0163

- 財政 支援 資金 内譯 討議

o 我國 代表 發言 内容 (別途 報告)

- 我國 支援 内譯 發表
- 我國 代表團(外務次官) 前線國家 巡訪 說明

2. 分 析

o 이라크의 最近 西方國家 人質의 選別的 釋放 意圖는

- 多國籍軍 參與國家間의 結束을 攪亂시키고 多國籍軍의 攻擊 謀免, 事態를 協商에 의하여 解決하려는 策略으로 보임

o 반면 美國은, 反이라크 陣營國家 巡訪 外交를 통하여

- 國際的 結束을 다지고 유엔 安保理 決議에 反하는 一切의 對이라크 妥協 可能性을 排除하고
- 또한 現在의 사담 후세인 態度로 보아 平和的 解決 展望이 어둡다고 判斷,
- 武力使用을 위한 蘇.佛.中國 等으로부터 同意를 獲得코자 하였으나 完全한 支持를 받지는 못한 것으로 보이며
- 우선 軍事行動時 必要한 多國籍軍의 指揮系統 確立에 主力한 것으로 보임

o 今番 美國의 兵力 增派 發表는,

- 그간의 對이라크 經濟 封鎖 戰略에서,
- 攻擊 戰略으로 轉換한다는 美國의 決然한 意志를 분명히 함으로써

0164

- 이라크에 心理的 壓迫을 加重시켜 이라크軍의 自進 撤收라는 平和的 解決策을 實現 시키려는 意圖로 分析됨

3. 展 望

o 現 時點에서 이라크가 쿠웨이트로 부터 自進 撤軍하지 않는한,
  - 妥協에 의한 解決等 事態의 平和的 解決 展望은 稀薄하며,
  - 걸프 地域에서 戰爭이 일어날 可能性이 커지고 있음

o 그러나 武力 使用에 따른 擴戰 憂慮, 人命被害, 經濟 影響等 制約 要因을 감안할때,
  - 美國側으로서도 事態의 平和的 解決이 가장 바람직하며, 이를 위한 最善의 方法은 이라크軍의 自進 撤收를 誘導하는 것임
  - 부쉬 行政府는 莫强한 軍事力을 背景으로
  - 對이라크 經濟 封鎖, 軍事的.外交的 壓迫을 年末頃까지 極大化 시키는 한편,
  - 蘇聯 및 佛蘭西를 仲裁者로 凡아랍圈內 解決 方案을 導出케 하여
  - 이라크軍이 쿠웨이트로 부터 自進 撤軍토록 誘導하는 努力을 抛棄하지 않을 것으로 봄

o 美國의 對이라크 軍事的.外交的 壓力과 忍耐에도 不拘하고,
  - 이라크의 自進 撤軍 機微가 전혀 보이지 않을 경우
  - 美國은 最後 手段으로 유엔 安保理에서 對이라크 軍事制裁 措置를 決議,

0165

- 유엔의 旗幟下에 事態를 軍事的으로 解決할 可能性이 많음

. 同 軍事 行動 時期는 美軍 追加 配置가 完了되는 12月 下旬에서 明年 2月頃이 될것임.

- 이때 美國은 被害를 最小化 하기 위하여 速戰速決의 軍事 行動으로 短期間內 이라크를 制壓하고

- 美軍 主導下의 平和 維持軍을 걸프地域에 配置, 域內 集團 安保 體制를 構築할 것으로 봄.   끝.

0166

이라크 사태 관련 각국의 군사조치 현황

90.11.12.

I. 군대 파견국 현황

1. 지상군 파병국

o 미, 영, 불, 이집트, 모로코, 방글라데시, 파키스탄, 시리아, 체코, 폴란드, 불가리아, 루마니아

2. 해군 파견국

o 미, 영, 불, 소, 사우디, 호주, 화란, 서독, 스페인, 이태리, 카나다, 벨기에, 덴마크, 그리스

II. 각국의 군사조치 현황

1. 미 국

가. 총명력 : 380,000명

나. 육군

- 병 력 : 175,000명
- 탱 크 : 2,000대

0167

다. 해 병

- 기동대 : 79,000명

라. 해 군

- 항 모 : 6척과 호위함
- 전 함 : 2척과 호위함
- 수륙양용부대 : 3개
- 항공기 : 200대(공격용 전투기)

마. 공 군

- 전술기 : 500대

* 추가파병 항해 댓수 미리정

바. 기 타

o F-111 폭격기 14대 터키 인시르리크에 배치
  - 이라크 국경에서 680km

o B-52 폭격기 50대 인도양 디에고가르시아에 배치

* 참고 : 미국의 대 사우디 무기판매
  . F15 전투기 40대(91년 24대 추가 파병 예정)
  . M60 탱크 150대
  . 스팅어 미사일 200기(발사대 50기)

2. NATO 국가

가. 영 국(총병력 11,000명)

o 기갑여단(8,000여명, 탱크 120대)

o 함정 7척

o 재규어 전투기 12대, Tornado 전투기 27대, Nimrod 해상초계기 수대

0168

나. 불란서(총병력 13,000명)

o 지상군 8,000명 파견

o 함정 16척(항모 1기, 프리깃 4등)

다. 기타 NATO 국가

o 서 독 : 함정 5척

o 이 태 리 : 함정 6척, Tornado 전투기 수대

o 화 란 : 프리깃 2척, F16 전투기 18대

o 벨 기 에 : 함정 3척

o 스 페 인 : 함정 4척

o 덴 마 크 : 함정 1척

o 그 리 스 : 프리깃 1척

o 포르투갈 : 수송선 3척

o 카 나 다 : 함정 3척, CF-18 전투기 1편대, 교관요원 450명

3. 기타 국가

가. 아랍 국가

o 이집트 : 지상군 20,000명(탱크, 방공무기)

o 모로코 : 지상군 6,200명

o 시리아 : 지상군, 4,000명, 탱크 300대

나. 기 타

o 소 련 : 전함 2척

o 호 주 : 프리깃 2척

o 노르웨이 : 수송선 수척

o 파키스탄 : 지상군 11,000명, 고문관 1,000명

0169

o 방글라데시 : 지상군 5,000명

o 체 코 : 지상군 170명

o 폴 란 드 : 지상군 소수

Ⅲ. 참고사항

1. 각국 경제지원 현황

o 아시아국가

- 한국 : 2.2억불
- 일본 : 40억불
- 대만 : 약2억불
- 호주 : 800만불

o 나토국가

- EC : 20억불
- 서독 : 20.8억불
- 이태리 : 1.45억불

o 아랍국가

- 사우디 : 60억불
- 쿠웨이트 : 40억불
- UAE : 20억불

0170

2. 이라크 군사력 현황

o 정규군 총병력 : 100만명

o 육 군 : 955,000명

- 탱크 5,500대

- 경탱크 100대

- 포 및 미사일 3,700문

- 무장 헬리콥터 160대

o 공 군 : 40,000명

- 전투.폭격기 510대

o 해 군 : 5,000명

- 프리깃함 5척

- 미사일 적재함 8척

※ 참 고

o 쿠웨이트내 이라크군

- 현재 약 23만 추정(탱크 : 2,200대)

o 60개사단(80만) 병력 및 다량의 화학무기 사우디.이라크 국경지역에 배치

0171

걸프 情勢 및 展望

1990. 11. 15.

外 · 務 部

0172

目　　次

0173

1. 狀　況

가. 槪　要

8.2. 發生한 걸프事態는 3個月 以上이 經過 되는동안 美國 主導下에 經濟 封鎖 措置가 繼續되는 가운데, 蘇聯·佛蘭西·中國 및 아랍圈은 多角的인 仲裁 努力을 경주 하였으나 뚜렷한 效果를 거두지 못하고 걸프 域內에는 이라크軍 및 多國籍軍의 軍事力이 繼續 增强되고있어 걸프 情勢는 緊張 局面이 持續되고 있음.

平和的 解決의 마지막 機會로 모로코가 提議한 아랍 頂上會談도 이라크는 條件附 受諾 하였으나 사우디가 이를 反對하고 있어 實現 可能性은 未知數임.

나. 이라크의 對應

사담 후세인 이라크 大統領은 最近 佛蘭西 人質 全員을 包含 西方人質들을 選別的으로 釋放하는등 對西方 宥和 제스쳐를 보이면서 美國의 對이라크 不侵 保障만 있다면 外國人質 全員을 釋放할 意向이 있음을 表明하고, 걸프事態를 이스라엘 占領地 問題와 連繫, 國際 會議等을 통하여 解決 할것을 主張하고 있음.

이라크의 當面課題는 國際的 孤立을 謀免하고 經濟 封鎖를 脫皮 하는것이며 이를위해 아랍 頂上會談 開催를 條件附로 受諾하였음.

다. 美國의 立場

美國은 이라크의 外交的 協商 提議에도 不拘하고 쿠웨이트로 부터 이라크軍의 無條件 撤收와 쿠웨이트 合法政府의 復歸 외에는 어떠한 妥協도 있을수 없다는 斷乎한 立場을 固守하고 있음.

0174

라. 쿠웨이트, 사우디의 妥協案

亡命 쿠웨이트 政府側과 사우디 國王, 國防長官等은 이라크軍이 撤收하는 경우, 事態의 平和的 解決을 위하여 쿠웨이트 領土 一部 割讓 問題도 協商할 수 있음을 示唆하고 있어 注目되고 있음.

2. 分 析

가. 軍事動向

(1) 11.8. 美國이 發表한 美軍의 增派가 完了되면 걸프地域에는 多國籍軍 53萬, 이라크軍 45萬이 對峙하게 되는바, 美國이 兵力의 大幅 增强과 從來의 방어 姿勢를 攻擊 態勢로 轉換할 것임을 發表하게 된 背景은

① 一戰 不辭의 決意를 誇示하여 이라크에 대한 心理的 壓迫을 加重시킴으로 이라크軍의 自進 撤收를 誘導하고,

② 이러한 心理的 壓力 戰術이 如意치 않아 效果를 거두지 못하여 戰爭이 不可避할 境遇 短期間內 이라크軍을 制壓, 쿠웨이트를 回復하는 한편 이스라엘로 戰端이 擴大되지 않도록 깨끗한 戰爭을 遂行하자는 것임.

(2) 兵力 增派에는 6-8주가 所要된다고 하나 現在까지 配置 完了된 多國籍軍의 戰力으로 보아 軍事 行動의 開始는 그 以前 何時라도 決定될 可能性이 있음. 西方側으로서는 戰爭 遂行의 最適期는 11월부터 明年 2월까지라는 것이 支配的인 見解임.

0175

나. 軍事的 解決의 條件

軍事的 解決이 選擇될 경우 美國을 비롯한 反이라크 陣營의 考慮事項으로는

① 平和的 解決을 選好하는 佛.蘇.中國의 同意를 어떻게 받아내어 유엔의 武力使用 決議를 確保 할것인가 하는 外交的 問題와

② 多國籍軍의 指揮系統을 定立하는 問題

③ 開戰時期를 選擇하는 問題

④ 美國議會 및 國民의 支持를 받는 問題

⑤ 人命被害 및 施設被害를 極小化 하는 問題

⑥ 石油供給 蹉跌로 인한 國際 經濟에 미칠 影響을 最小化 하는 問題等이 있음

다. 平和的 解決 努力

(1) 事態의 平和的 解決을 摸索하는 外交的 努力은 安保理 常任理事國인 佛.蘇.中의 仲裁 努力과 아랍 內部의 解決을 摸索하는 아랍圈의 努力이 主流를 이루었음. 프리마코프 蘇聯 特使의 2次에 걸친 中東 및 美國 巡訪, 佛.蘇 頂上會談(파리), 전기침 中國 外交部長의 中東巡訪은 어느것도 뚜렷한 成果를 거두지 못한 것으로 評價됨.

(2) 그러나 美軍의 大幅 增强 發表 數日後 모로코가 提議한 아랍 頂上會談에 대해서는 이라크가 條件附이긴 하나 이를 受諾하고 모로코에 特使까지 派遣 하므로써 소위 "아랍 內部 解決"의 可能性이 엿보였으나 사우디를 비롯한 GCC 國家들이 이에 反對하고 있어 實現은 難望視 됨.

0176

라. 이라크의 立場

(1) 이라크가 佛.蘇等 多國籍軍 派遣國의 人質들을 選別的으로 釋放한것은 이들의 結束을 弛緩시켜 多國籍軍 内部를 攪亂하고, 특히 軍事行動에 대한 意見一致를 沮害하기 위한 高度의 心理戰으로 分析됨.

(2) 한편 유엔의 經濟 封鎖 措置의 效果가 차츰 나타나고 있는바 數日前 이라크 當局은 穀物 需給에 蹉跌이 생기고 있음을 是認하고, 穀物 買占에 대해 處罰을 强化할 것이라고 發表한 바 있음. 대부분의 이라크 國民이 粗惡한 음식물로 延命할 수 있다고는하나 指導層은 食生活에 不便을 느끼기 始作하고 -封鎖 措置가 繼續되면 相當한 不滿이 累積될 것이라는 觀察도 있음

(3) 또한 이라크 軍部가 動搖하고 있다는 徵候도 있는바 最近 軍 參謀總長이 更迭된 것은 對外的으로 나타난 한 例라고 하겠음.

(4) 이라크로서는 軍事力의 劣勢, 經濟 封鎖로 인한 經濟的 逼迫, 國民의 士氣 低下 그리고 軍部의 動搖等에 비추어 戰爭에서 勝算이 없다고 判斷 되므로 政治的 妥結을 追求하되 國際會議를 열어 여기에 팔레스타인 問題를 끌어들이므로서 이 紛爭을 이스라엘對 아랍 乃至 西方對 아랍의 對決로 變質시켜 아랍의 結束을 圖謀하고 결국은 쿠웨이트 侵攻問題를 희석, 縮小化 시키려는 意圖가 있는 것으로 보임.

0177

마. 美國의 武力使用 支持 確保 努力

(1) 11월중 베이커 長官의 中東 및 佛.英.蘇等 7個國 巡訪은

① 反이라크 陣營의 結束을 다져 유엔 制裁 決議의 徹底한 履行을 圖謀하고 武力 使用에 對備한 佛.蘇.中의 同意를 確保하는 한편 軍事行動에 必要한 多國籍軍의 指揮系統을 確立하는것이 主目的이었던 것으로 보임.

② 그러나 武力 使用에 대해서 특히 佛.蘇.中은 經濟 封鎖 效果를 위해서는 時間이 더 必要하다는 理由로 武力 行使에 대한 完全한 支持를 表示하지는 않은 것으로 알려짐.

(2) 부쉬 大統領도 11.16-22 체코.獨.佛.사우디.이집트를 巡訪하여 反이라크 陣營의 結束을 다지고 事態 解決 方案을 協議할 것으로 보임.

바. 領土 割讓 妥協案

(1) 이라크軍 撤收의 代價으로 쿠웨이트 領土 一部와 油田을 割讓하는 問題는 아랍 兄弟國간에는 歷史的으로 領土의 平和的 調整이 있었다는 名分下에 亡命 쿠웨이트 政府側과 사우디 國王等에 의해 示唆되었던 것으로 當初 報道 되었다가 그후 다시 否認되기는 하였으나 領土의 割讓은 이라크가 侵攻 以前부터 主張한 것이고, 美國도 最近에 와서는 이라크가 前提條件 없이 撤收 한다면 이라크의 領土 割讓 要求를 아랍圈이 收容해도 介入하지 않을 것임을 示唆하고 있어 이라크가 모로코 提議 아랍 頂上會談을 受諾한 것과 關聯, 一旦 妥協 可能한 方案으로 擡頭되고 있음.

0178

(2) 다만 割譲을 要求한 島嶼中 "와르바"섬은 이라크의 手中에 들어갈 境遇, 이란에 대한 經濟的.軍事的 威脅이 될수 있어 이란이 과연 이를 收容할수 있을지 疑問視 됨.

3. 展　　望

가. 戰爭 不可論

(1) 우선 戰爭의 關鍵을 쥐고 있는 美國人의 立場에서 과연 戰爭이 必要한가, 目的이 무엇인가라는 基本的인 疑問으로 부터 始作해서 몇가지 重要한 疑問들이 提起되고 있음.

① 雙方의 人命被害가 莫大하다는 점

② 美國과 世界 經濟에 미칠 影響이 至大한 점

③ 美國이 侵略者를 膺懲할 道德性을 가지고 있느냐는 점

등이 그것임.

(2) 이라크는 쿠웨이트 侵攻의 目的인 領土 一部 및 油田 割譲을 얻어내되 戰爭이 아닌 政治的 妥結에 의한 아랍 內部의 解決로 事態를 收拾코자 할것임.

(3) 이라크의 軍事的 覇權을 警戒하는 사우디등 穩健國家들은 戰爭으로 인해 이라크가 軍事的으로 焦土化 되고, 域內 勢力 均衡이 깨져 힘의 空白이 생기는것을 바라지 않고 있음.
아랍圈 全體의 立場에서 보아도 이스라엘에 對抗하기 위해서는 이라크가 어느정도의 軍事力을 維持하는 것이 아랍 모두에게 利益이 될 것임.

(4) 西歐諸國, 蘇聯, 中國의 立場도 戰爭에 따른 經濟的 打擊, 戰爭以後 中東에서의 美國의 壓倒的 影響力 行使 可能性을 憂慮하여 事態의 武力 解決을 원하지 않을것임.

0179

나. 戰爭 不可避論

(1) 그러나 戰爭 不可避論을 뒷받침하는 狀況으로는 美軍 20만의 追加 派兵이 完了되면 美國은 總 43만의 兵力을 配置하게 되고 또 많은 나라에 軍費 分擔까지 시킨 狀態에서 쉽게 撤收하기가 어려울 것이라는 점.

(2) 美國이 派兵 名分으로는 原油의 安定的 供給, 사우디의 防禦, 쿠웨이트로 부터의 이라크 撤軍等을 闡明 하였으나, 窮極的으로는 이라크의 化學武器 및 核 保有 可能性을 除去하여 사담 후세인의 中東 覇權을 事前 封鎖하자는 것이므로 그러한 目標는 政治的 妥結로서는 達成이 어렵다는 點.

(3) 사담 후세인의 態度로 보아 平和的 방법으로 쿠웨이트로 부터의 自進 撤收를 기대하기 어렵다는 점이 있음.
其實, 무바라크 이집트 大統領은 11.12. 記者會見에서 사담 후세인이 人의 帳幕에 쌓여 事態의 深刻性을 認識하지 못하고 있으며, 美國의 軍事行動 可能性에 대해서 아직도 信憑性을 갖고있지 않다고 言及하였는바, 西方側도 같은 認識을 가지고 있는 것으로 觀測됨.

(4) 事態가 長期化 될 경우, 美軍의 士氣 低下와 國內 與論의 支持가 減少되고 多國籍軍의 結束도 크게 이완될 것임.

다. 第3의 可能性

(1) 美國이 中東에서의 戰略的 目標를 追求하기 위하여 今番 事態의 政治的 妥結의 一環으로 사우디등과의 雙務 協定을 통해 中東地域에 長期 駐屯하는 裝置를 마련하는등 方法으로 이라크와 折衷式 解決을 追求할 可能性도 一旦은 생각할 수 있음.

0180

(2) 이라크는 侵攻以後 쿠웨이트에 대한 住民 移住政策을 實施 하고 있는바 쿠웨이트의 이라크화가 대체로 이루어 졌다고 判斷되면 美國의 攻擊이 臨迫했다고 생각되는 時期에 一方的 으로 쿠웨이트로 부터의 撤收를 斷行할 可能性도 있음.

0181

페르시아灣 事態 關聯 支援 推進現況

90. 12. 4

美 洲 局

0182

I. 支援 槪要

(單位 : 萬弗)

	多國籍軍 支援	周邊被害國 支援	合 計
1990 年 1991 年	9,500 2,500	7,500 2,500	17,000 5,000
合 計	12,000	10,000	22,000

(1990年度 支援 內譯)

支援內譯 / 國家	多國籍軍 活動			周邊國 및 國際機構				計
	現 金	輸 送	軍需物資	EDCF	生必品	쌀	IOM	
美 國	5,000	3,000						8,000
이 집 트			700	1,500	800			3,000
터 키				1,500	500			2,000
요 르 단				1,000	500			1,500
시 리 아			600		400			1,000
모 로 코			200					200
방글라데시						500		500
I. O. M.							50	50
行 政 費					50			50
豫 備 費					200	500		700
小 計	5,000	3,000	1,500	4,000	2,450	1,000	50	17,000
計	9,500			7,500				17,000

0183

Ⅱ. 支援 推進 現況

1. 對美 支援 現況

o 現金 支援 : 總 5,000万弗

- 追更 豫算이 外務部 豫算으로 移管되는 직후, 뉴욕소재 美 聯邦 準備 銀行(Federal Reserve Bank)에 있는 美 國防部의 "防衛協力 口座" (Defense Cooperation Account)에 送金 豫定

o 輸送 支援 : 總 3,000万弗

- 貨物 航空機 支援 : 年末까지 約 1,100万弗 상당 支援 豫定
  - 12.4. 現在 17次에 걸쳐 支援(約 800万弗 상당)
  - 年末까지 7回 追加支援 豫定(約 300万弗 상당)
- 貨物船舶 支援 : 12.4. 現在 3次에 걸쳐 支援中(約 650万弗 상당)

0184

2. 政府調査團 巡訪 結果

이 집 트

가. 非殺傷用 軍需物資 支援 : 700万弗

o 이집트側, 檢討 希望 品目 12個 提示

- 앰블런스, 12人乘 미니버스, 25人乘 미니버스, 起重機, 積載機, 불도저, 트럭, 카고트럭, 醫療機, 軍服, 浸透保護衣, 防毒面

o 我側 措置 事項 : 上記 品目에 대한 카탈로그, 價格, 說明書 等 詳細資料 送付(11.3)

- 이집트側의 希望品目 通報 대기중

o 이집트側, 品目 選定을 위해 이집트軍 兵站 責任者인 M. EL-Ghamrawy Dawud 將軍外 3名의 專門家 派韓 提議(經費는 軍需物資 支援額에서 充當 條件)

- 我側, 同 提議 受諾

나. 一般 生必品 : 800万弗

o 15個 部處間 委員會에서 綜合的인 檢討後 我側에 希望 品目 通報 豫定

- 駐 카이로 總領事館에 이집트側 希望品目 조속 파악 지시(11.20)

0185

o 이집트 政府 部處間 協議 進行中

다. EDCF 資金 : 1,500万弗

o 15個 部處間 委員會 檢討後 我側에 事業計劃書 提出 豫定

- 상금 이집트側 事業計劃書 未 接受

- 駐 카이로 總領事舘에 督促 電報 打電(11.20)

o 이집트側, 我國의 EDCF 借款 利子率(3.5%)을 2%로 引下해 줄 것을 要請

- 他國이 提供한 Soft Loan(1-2%) 감안 要望

- 我側, 同 提議 檢討中

요르단

가. 一般 生必品 : 500万弗

o 政府 調査團 訪問時 요르단側, 旣去來한 L/C베이스 我國 商品 輸入代金 辨濟에 充當될 수 있도록 要請

- 我側, 同件 支援 趣旨에 맞지 않음을 說明하고 앞으로의 새로운 L/C 開設에 의한 輸入代金 活用問題는 檢討해 보겠다고 答辯

0186

o 요르단側 要求 生必品(11.25. Abdullah 企劃長官의 駐 요르단 大使앞 書翰)

- 25인승 마이크로 버스 50대 및 설탕(버스 支援後 殘餘 支援額分)
- 我側, 駐요르단 大使에게 供給 能力等 事情을 감안 마이크로 버스 댓수를 增加시키고 설탕의 양은 縮小하는 선에서 요르단側과 交涉, 確定토록 指示

나. EDCF 資金 : 1,000万弗

o 요르단側, 我側提示 利子率을 大幅 낮추어줄 것 要請

- 1人當 GNP 基準年度를 90년으로 變更, 利子率 下向調整 希望

o 또한, EDCF 借款의 內國貨 費用限度 30%를 요르단 國內業界에 도움이 되도록 높여줄 것을 要請

o 아울러 對象事業으로 下記事業 優先 順位別 變更 提示(11.25, Abdullah 企劃省 長官의 駐요르단 大使앞 書翰)

- 암만市 廢水處理場 建設工事(900万弗)
- 아카바港內 石油貯藏用 10万톤級 中古船 購入(700-1,000萬弗)
- 30 메가와트級 개스터빈 製作 設置(1,500万弗X2機)
- 암만/紅海 高速道路 一部 區間 7km 建設工事(700万弗)

0187

o 我側은 요르단側이 上記 事業에 對한 詳細計劃書를 添附, 公式 要請 하면 我側의 檢討意見을 通報 하겠다고 答辯

- 現在 요르단側은 事業計劃書 未 提出

터 키

가. 一般 生必品 : 500万弗

o 難民救護를 위해 터키 赤十字社가 必要로 하는 下記 8個 物品 提示

- 매트, 앰블런스, 미니버스, 起重機, 發電機, 淨水裝備, 트럭, 醫療器

o 터키側은 具體的 推進은 兩側 赤十字社間 協議를 통할 것과 支援金額 一部를 我側 赤十字社에서 保管, 部品등 追後 必要한 物資가 支援 되기를 希望

나. EDCF 資金 : 1,500万弗

o 我側은 터키의 경우 年利率 4.2%, 5년据置 20년 償還條件임과, 原則上 프로젝트 借款임에도 不拘, 터키가 同 借款을 裝備購入에도 使用할 수 있음을 說明

0188

o 터키側, 單純한 經常收支 改善보다 터키 産業의 構造的 改善을 위한 事業에 EDCF 借款 使用 希望

- 事業計劃書 等 追後 再協議 豫定

시 리 아

o 시리아 外務擔當 國務長官과의 面談時 立場 (11.5)

- 美國을 爲始한 Coordinating Committee와의 關係上 我國과의 協議 保留 立場

- 시리아의 걸프灣 事態 關聯 軍事的 寄與에도 不拘, 前線國家 援助에 不包含 된데에 대한 強力한 不滿 表示

o 무상 援助 接受 意思를 表明하는 Tlas 國防長官 名義 公翰을 我側에 發送(11.21)

- 600万弗 상당의 버스 및 向後 2년간에 使用할 部品

- 400万弗 상당의 마이크로 버스 및 向後 2년간 使用할 部品

모 로 코

o 모로코에 支援 가능한 品目 리스트 送付 및 모로코側의 希望品目 問議(10.27)

- 모로코 外務次官 謝意表明 및 關係部處 協議後 希望品目 提示 豫定 言及

0189

Items requested by Jordan

1990. 12. 26.

I T E M	SPECIFICATION	QUANTITY
COLOR TV	20"	500
REFRIGERATOR	SR-271	500
RADIO	ARC191 & OTHERS	20,000
BICYCLE	T-26,5-SPEED	9,630
LAUNDRY SOAPS	300G	8,000
CANNED PRODUCTS	CAN	1,500,000
INSTANT NOODLES	-	47,000
SHOES	-	280,000
KITCHENWARE	STAINLESS, ALUMINIUM	145,000
TOILET PAPER	102MM×35MM, 2 PLY	2,000,000
TOOTH BRUSH	-	1,000,000
TOOTH PASTE	-	200,000
RAZOR	-	1,000,000
CIGARETTE LIGHTER	-	500,000
PEN & PENCIL	-	50,000
LANTERN	-	100,000
DRYCELL BATTERY	R 20(M)/DM	5,000,000
MINERAL POT	-	10,000
CAMPING MAT	-	50,000

0190

I T E M	SPECIFICATION	QUANTITY
UNDERWEARS	-	27,500
SOCKS	-	27,000
STOCKING	-	17,000
TOWEL	-	1,000,000
BLANKET	-	4,000

0191

걸프 情勢 및 展望

1990. 12. 11.

外 務 部
中東아프리카局

0192

目　　次

0193

1. 狀 況

가. 유엔의 武力使用 決議 및 美國의 協商 提議

걸프事態는 11.29. 유엔 安保理가 이락에 대한 武力使用을 承認하고 사담후세인 이락 大統領이 이에 絶對 不服할 것임을 밝힘으로써 武力對決의 危險이 성큼 다가오는듯 하였으나 ①이틀후 부쉬 大統領이 이락과의 直接 協商을 電擊的으로 제의하고 ②사담후세인 大統領이 이를 受諾한데 이어 ③12.6. 西方人質 全員을 釋放 決定 하므로써 平和的 解決의 曙光이 비치기 시작 하였음.

나. 外交的 努力의 展開

이와 함께 ①유엔安保理는 中東平和 國際會議 開催를 討議하고, ②一部穩健 아랍국가들은 쿠웨이트 領土의 割讓과 多國籍軍을 아랍군으로 代置하는 方案을 가지고 仲裁에 積極 나서고 있어 일단 武力衝突의 危險은 상당히 적어지고 相對的으로 平和的 解決의 可能性이 크게 높아진 것으로 보겠음.

다. 軍事的 動向

이에 앞서 11.8. 美國의 兵力 15萬名 增派 決定에 이어 이락은 25萬 兵力의 쿠웨이트 增派를 發表하므로써 이에 對應한바 있음. 또한 英國도 11.21. 1만4천명의 兵力 增派를 發表 하였음.

2. 分 析

가. 美國의 外交的 壓力

1) 걸프事態 發生 直後 美國은 美軍의 사우디 派兵에 즈음하여 ①美國人 人命 保護 ②이락軍의 쿠웨이트 撤軍 ③쿠웨이트 合法政府의 復歸와 ④걸프地域의 安保를 4大 政策目標로 設定하고 특히 人質釋放, 撤收 및 合法政府 復歸는 결코 協商의 對象이 될수 없다는 斷乎한 立場을 表明해 왔음.

1

0194

2) 이러한 立場을 貫徹하기 위해서는 이락에 대한 軍事的, 外交的 壓力을 極大化 할 必要가 있다는 判斷下에 安保理가 武力使用 承認 決議案을 採擇하도록 베이커 國務長官은 물론 부쉬 大統領까지 前面에 나서서, 특히 經濟 制裁 效果를 위해서는 좀더 시간이 必要하다는 立場에서 武力使用에 留保的 態度를 취했던 蘇聯, 佛蘭西, 中國等 安保理 常任 理事國 說得에 全力을 투구한 結果, 美國이 安保理 常任 理事國 議長職을 예멘에게 引繼하기 이틀前인 11.29. 同 決議案 採擇에 成功 하였음.

3) 美國이 武力使用 決議 採擇을 위해 큰 努力을 하게된 背景은 ①當初 1-2개월이면 效果가 나타날 것으로 보았던 經濟 制裁 措置가 豫想과는 달리 이락에 대해 決定的인 打擊을 주지 못하고 있다는 結論에 이르고 ②美軍을 包含한 多國籍軍의 配置만으로는 사담후세인으로 하여금 多國籍軍이 實際로 이락을 공격 하리라고 믿게 하기가 어렵다는 것이 西方側의 共通된 分析이었고 ③美國이 실제 軍事行動을 취해야 할경우, 國內外的 支持 基盤을 튼튼히 할 必要가 있다는 점이었음.

4) 美國이 武力使用 承認 決議案을 成立시킨 直後 다시 電擊的으로 이락과의 直接 對話를 提議한 것은 ①美行政府의 事態의 平和的 解決 意志를 부각시켜 美國內 反戰 輿論을 撫摩 하므로써 對話가 決裂되는 경우 武力使用이 不可避하다는 것을 美國民에게 說得할 必要가 있다는 考慮와 ②사담후세인 大統領에 대해 撤收할수 있는 名分을 주어 國內外的으로 體面을 維持하도록 할 必要가 있다는 考慮가 作用한 것으로 보임.

나. 이락의 心理戰

1) 이락이 美國의 協商 提議를 受諾한 背景으로는 ①安保理가 時限까지 정하여 武力使用을 承認 함으로써 美國의 戰爭 遂行 決意를 새로이 認識하게 되었다는 점 ②經濟 封鎖가 産業部門에는 아직 큰 打擊을 주지 못했지만 國民 生活에는 相當한 정도까지 打擊을 주고 있다는점 ③對美 協商을 지금까지 主張해 오던대로 팔레스타인 問題를 포함한 包括的인 中東平和 協商으로 이끌어 가도록 하여 時間을 벌어보자는 점을 들수 있을것임.

2) 한편 종래 多國籍軍이 攻擊을 敢行하지 않는다는 保障을 하면, 크리스마스로 부터 3.15 까지 3개월에 걸쳐 人質을 釋放하겠다는 條件附 人質 釋放 立場을 바꾸어 이락이 西方人質을 크리스마스 以前 全員, 無條件 釋放할 것을 電擊 發表한 背景은,

① 유엔의 武力使用 承認 成立으로 나타난 美國의 一戰不辭의 결의로 보아 人間 防牌로서의 人質의 戰略的 價値가 크게 떨어져 人質의 繼續 抑留는 오히려 世界的 敵對感만 招來하고 있다는점

② 對美, 對西方 平和제스처로 美國內 反戰 輿論을 부추기고 多國籍軍의 結束을 弛緩시켜 戰爭 反對 움직임을 擴散시킬수 있다는점

③ 人質釋放이 12.4. 이락, 요르단, 예멘, PLO 頂上會談의 結果임을 부각시킴으로써 걸프事態를 아랍 內部에서 解決할 수 있다는 것을 對外에 誇示하고자 했던점

④ 또한 形式上 이락 議會가 사담후세인 大統領의 決定을 承認하도록 함으로써 이락 國民의 總意에 의한 決定이라는 점을 强調하여 對內的인 結束을 圖謀할 수 있다는점 등이 考慮되었을 것임.

다. 對이락 軍事的 壓力

1) 美國은 이락과의 協商 提議를 하는 한편, 12.4. 사우디 駐屯 美軍과 사우디 陸軍의 合同作戰으로 이락 國境 南部에서 大規模 訓鍊을 실시하고 旣存의 防禦 姿勢에서 攻擊 態勢로 轉換 하였음을 發表 함으로써 ①이락에 대한 心理的 壓迫을 加重시키고 ②有事時 指揮體制 確立과 美軍의 沙漠戰 適應을 圖謀한 것으로 봄.

2) 한편 이락은 11.20. 쿠웨이트에 兵力 25만을 追加 派遣키로 決定하고 우선 7개 사단을 이동 配置하는 한편 豫備軍 15만명을 동원 하였음. 이로써 45만명의 이락군이 쿠웨이트에 배치된 것으로 추정됨.

3) 美軍을 包含한 多國籍軍의 兵力은 11.8. 美軍 약 15만명의 增派 發表와 11.22. 英國軍 1만4천명의 增派 發表等을 감안할때 兵力 配置가 완료 되는 1월 초순경까지는 약 55만 兵力이 될 것으로 일단 推定되나 안보리 決議가 採擇된 以後에는 總兵力 規模에 대한 報道, 특히 西方言論의 報道가 없어 과연 美側이 發表한대로 兵力 增派가 繼續되고 있는지 一抹의 疑問이 있음.

3

0196

3. 展 望

가. 이락의 選擇

1) 쿠웨이트의 이락化 繼續 推進

가) 이락은 쿠웨이트 侵攻以後 4개월이상 推進해온 쿠웨이트의 이락化 政策을 加速化하여 쿠웨이트 王政이 復歸 되더라도 有效한 統治가 事實上 어렵게 되도록 繼續 努力할 것임.

나) 이락의 쿠웨이트 侵攻의 目的은 ①8년간의 이.이戰으로 인한 經濟的 逼迫에서 脫皮 ②原油 輸出을 위한 걸프만 港口 確保 ③7.25. 사담후세인 大統領의 終身制 改憲에 대한 國民의 비판을 外部로 돌리고 ④예멘, 요르단등과 提携하여 中東의 覇權을 確立 하는것 이었음으로 이 目的의 達成을 위해서는 쿠웨이트의 合倂 내지는 隸屬化가 可能만 하다면 最善의 方策일 것임.

2) 領土 一部 割讓 妥協

가) 쿠웨이트 侵攻 名分중의 하나가 이락의 쿠웨이트 全國土에 대한 영유권 主張이었으나 侵攻의 重要한 目的이 經濟的, 戰略的인 것이었고 실제로 사담후세인 大統領이 8.12. 平和회담 條件으로 내세운것도 ①이락國境 루마일라 油田地帶의 領土 할양과 ②걸프만으로 나가는 戰略的 要衝地인 부비얀섬과 와르바 섬의 租借 要求였던점에 비추어 이러한 두가지 要求가 全部 充足될수 있다면 좋겠지만 部分的 으로라도 充足되어 體面만 維持될수 있다면 사담후세인 大統領은 유엔이 정한 明年 1.15. 에 臨迫해서 쿠웨이트로+부터 自進 撤收할 可能性이 있음.

나) 실제로 亡命 쿠웨이트 政府側과 사우디 國防長官等은 이락군이 撤收하는 境遇, 쿠웨이트 領土 一部 할양 問題도 協商 可能할 것임을 示唆한바 있었으며 그후 사우디의 公式 否認이 있기는 하였으나 割讓 可能性이 繼續 擧論되고 있는것이 事實임. 다만, 와르바섬 租借의 경우 軍事的, 經濟的 理由에서 이란은 이에 상당한 抵抗을 할 것으로 보임.

3) 中東平和 國際 會議

가) 이락이 쿠웨이트로 부터 撤軍하는것에 대한 諒解 事項으로 쿠웨이트 問題를 包含한 中東問題의 包括的 解決을 위하여 國際會議 開催를 主張할 可能性이 있음. 이는 아랍권의 呼應을 받을수 있을 것이며 유엔 安保理에서도 美國을 除外한 蘇, 佛, 中等 常任 理事國들이 이미 中東平和案 摸索을 위하여 適切한 時期에 國際會議를 開催한다는 決議案 採擇에 원칙적으로 합의한 것으로 알려지고 있어 쿠웨이트 問題를 包含한 中東平和 國際 會議가 91년에 열릴 可能性도 큼.

나) 사우디를 비롯한 걸프 沿岸 産油國들도 武力 解決 不辭 立場을 表明하고는 있으나 內心으로는 걸프 地域에서 武力 衝突을 바라지 않고 있어, 쿠웨이트로 부터 이락군이 撤收 한다면, 쿠웨이트 문제를 이스라엘의 팔레스타인 占領 問題와 連繫시켜 解決하자는 이락의 主張을 反對하지는 않을 것이므로 美國, 이락 協商에서 이 問題가 擧論될 것이 確實視 됨.

다) 美國은 지금까지 팔레스타인 問題와 쿠웨이트 撤軍이 別個의 事案 이라는 立場을 固守하여 왔으나 사담후세인 大統領이 쿠웨이트 撤軍의 前提로 이 問題를 들고 나올때 유엔 安保理 決議를 理由로 이락의 條件없는 撤軍과 사바 王政 復歸를 主張하고 있는 美國으로서도 이스라엘의 유엔 決議 不履行을 論議하게 될 國際會議 開催를 拒絶할 수 없는 難處한 立場에 처하게 될 것임.

나. 美國의 選擇

1) 美軍 또는 아랍 平和 維持軍의 繼續 駐屯

가) 美國은 이락이 쿠웨이트에서 撤收하고 쿠웨이트 王政만 復歸 된다면 일단 一次的 目標는 達成할 수 있다고 보나, 걸프地域의 安保를 保障한다는 窮極的인 目標는 이락의 軍事力을 弱化 시키기 전에는 성취할수가 없으므로 이락의 쿠웨이트 領土 할양의 代價로 美軍 또는 多國籍軍을 代置할 美國 影響下의 아랍 平和軍을 域內에 常駐 시키고자 試圖할 可能性이 있음.

나) 그러나 이경우 軍事 大國으로서의 이락의 位置는 弱化되지 않는다는 어려움이 있을것임.

2) 經濟 封鎖의 繼續

가) 美國은 어떠한 理由를 들어서라도 이락에 대한 經濟制裁 특히 武器, 戰略 物資에 대한 國際的인 禁輸措置를 斷行함으로써 이락의 軍事力 특히 核武器, 化學武器, 미사일 攻擊能力을 弱化 내지 除去 시키고자 할 可能性도 있음.

나) 이 경우 이락이 쿠웨이트에서 撤收하면 유엔 決議에 의한 經濟 封鎖는 더이상 妥當性을 喪失하게 되므로 다른 理由를 들어 리비아에 대한 禁輸措置와 유사한 措置를 施行해야 될 것임.

3) 武力 使用 可能性

가) 美國은 유엔이 정한 時限을 遵守하지 않았다는 理由로 이락 軍事力의 弱化라는 窮極的 目標를 達成하는 方法으로 武力 使用을 選擇할 可能性도 排除할수 없는바, ①目標를 가장 確實하게 達成할수 있고 ②人質釋放 및 駐쿠웨이트 美大使館員 撤收로 民間人 犧牲에 대한 負擔이 없어졌으며 ③大規模의 多國籍軍을 派兵하고 많은 나라에 軍費까지 分擔시킨 狀態에서 쉽게 撤收하기가 어렵다는점 등이 考慮될 것임.

나) 그러나 武力使用 경우 ①막대한 人命被害 ②이스라엘의 戰爭 介入으로 인한 擴戰 憂慮 ③美國과 世界 經濟에 미칠 影響 ④名分없는 戰爭 主張이라는 批判的 輿論등을 역시 考慮하지 않을수 없을것임.

다) 다만 戰爭을 할 경우에는 奇襲的, 電擊的, 短期的인 大量 攻擊이 豫想됨.

걸프 情勢 및 展望 (XⅡ)

1990. 12. 24.

外　　務　　部

0200

目 次

0201

1. 狀 況

가. <u>美.이락間 直接協商 決裂</u>

걸프事態는 平和的 解決의 마지막 機會로 全世界의 期待를 모았던 美.이락 外務長官들간의 相互 訪問이 霧散될 可能性이 높아지고 있는 가운데 부쉬 美 大統領은 91.1.15. 까지 이라크가 쿠웨이트로 부터 完全 撤收하지 않을 경우 이락에 대한 武力 行使를 敢行할 것이라고 警告한데 대하여 이락은 유엔 安保理의 最後 通牒 性格인 同 時限 以前의 完全 撤收를 拒否하고 있어 兩側 모두 一戰不辭의 强硬한 姿勢를 固守, 걸프 域內에는 다시 武力衝突 可能性이 높아지고 있음.

나. <u>알제리 大統領의 仲裁 努力</u>

Chadli Ben Jedid 알제리 大統領은 12.11-18간 요르단, 이락, 이란, 이집트, 시리아, 오만, 바레인, UAE, 카타르 中東 9個國을 巡訪한데 이어 이태리, 불란서, 스페인, 모로코, 모리타니아를 12.21-23간 訪問, 걸프事態의 平和的 解決을 위한 마지막 試圖로서 유엔 安保理 決議 時限 以前에 아랍人의 團結속에 戰爭을 回避하고 事態를 平和的으로 解決해 보려고 努力하였으나 사우디측이 同 大統領의 訪問을 拒絶하여 目的을 거두지 못하였음.

Chadli 大統領은 事態解決 方案으로써 ①쿠웨이트로 부터의 이락軍의 撤收 ②이에 代替하는 아랍 平和軍 配置 ③사우디.이락간 不可侵 合意와 中東平和 國際會議 開催등을 提示한 것으로 알려졌으며, 이와같은 자신의 提案에 대한 이락, 이란, 이집트, 사우디등의 同意를 얻고자 全力을 기울였음.

다. <u>各國 居留民 撤收 動向 開始</u>

最近 美國, 이락間의 協商 日程 調整 失敗와 때를 맞추어 美國이 最近까지 維持해온 駐쿠웨이트 美 大使館 要員을 全員 撤收시킨데 이어 12.17.영국, 12.18. 태국, 12.19. 아일랜드, 12.20. 덴마크등은 戰爭 勃發 경우 影響을 받을수 있는 사우디, 특히 東部地域 및 리야드 등지와 바레인, 카타르, UAE 등지에 居留하고 있는 自國民의 撤收를 勸告하고 있어 戰爭의 危險이 상당히 높아지고 있다는 推測을 불러 일으키고 있음.

0202

라. <u>세바르드나제 蘇聯 外務長官 電擊 辭任</u>

걸프事態 勃發 以後 新國際秩序 樹立을 위하여 美國과 共同 補助를 취해왔던 세바르드나제 蘇聯 外務長官이 保守派와의 葛藤으로 12.20. 電擊 辭任함으로써 來年 1月15日의 時限 以後 이라크와의 戰爭 可能性을 눈앞에 두고 있는 反이라크 陣營으로서는 過去 이라크과의 敦篤한 關係에 비추어 지금까지 蘇聯이 취해온 걸프만 政策에 變化가 오고 結果的으로 反이라크 陣營에 結束이 弛緩되지 않을까 念慮하고 있음.

마. <u>NATO 機動 打擊隊 터키 派遣</u>

터키의 要請에 의하여 이미 NATO 에서 支援키로 한바있는 3個 飛行中隊 (50-54대)와 5천여명으로 構成된 나토 機動 打擊隊의 이락 國境地帶 派遣 問題가 現在 協議中에 있는바, 이는 이라크를 쿠웨이트로 부터 撤收시키기 위한 軍事 威脅의 一環인 同時에 터키 INCIRIK 空軍 기지에 駐屯하고 있는 美國의 F15, F16, F111등 戰鬪機가 對이락 戰爭에 參加할 경우, 터키가 이라크로 부터 直接 攻擊 對象이 될 경우에 對備한 것으로 보임.

2. 分 析

가. 이락의 意圖

1) <u>遲延 作戰</u>

11.29. 安保理의 武力使用 承認 決議 直後 부쉬 美 大統領은 아지즈 長官의 美國 訪問과 베이커 長官의 바그다드 訪問等 交換 訪問을 提議하긴 했지만, 아지즈의 美國 訪問보다는 美國의 斷乎한 立場을 사담후세인 本人에게 直接 傳達할수 있는 確實한 方法으로서 베이커 長官의 이락 訪問에 거의 全的인 意味를 附與했던 것이나 이락은 베이커 美國務長官의 接受日程을 最大限 遲延시켜 유엔 決議 時限에 臨迫하게 함으로써 協商 進行中에 이 時限을 넘기고, 戰爭 勃發을 最大限 遲延시키려는 意圖가 있는 것으로 보임. 한편 베이커 美國務長官의 바그다드 訪問日程 問題로 美.이락 協商이 膠着狀態에 빠지게 됨으로써 EC가 아지즈 이락 外務長官의 訪問을 提議하고 이락도 이에 대해 相當한 期待를 했던 것으로 觀測되나 이것도 美國의 壓力으로 實現되지 못하였음.

0203

2) <u>팔레스타인 問題 連繫 作戰</u>

이락은 쿠웨이트 事態를 팔레스타인 問題를 包含한 包括的인 中東 平和 問題의 一環으로 하여 아랍對 시온主義 또는 아랍對 美國의 對決로 變質시키려는 意圖하에 아랍내지 非아랍 회교권의 支持를 받아 유엔에서 中東平和 國際會議 開催를 提議하도록 努力을 기울이고 있음.

美國은 이락의 이러한 意圖를 看把하고 걸프事態와 팔레스타인 問題의 連繫를 極力 反對하면서 말레지아, 예멘등이 提議한 中東平和 國際會議 召集 決議案을 反對해 왔으나 이스라엘이 유엔 決議를 遵守하지 않고 있는데 對해 아무런 措置를 취하지 않으면서 이락에게만 이를 遵守토록 强要하고 武力使用까지 承認하는 것은 二重的 基準 適用이라는 世界的 非難을 謀免하기 어려울 것이므로 결국은 安保理 議長 宣言으로 中東平和 國際會議 召集을 提議하는데 同意한 것으로 보임.

3) <u>多國籍軍 弛緩 作戰</u>

이락側은 이러한 時間끌기 作戰으로 잃을것이 없다는 計算임. 즉, 걸프事態가 長期化 됨으로써 ①美國內 輿論이 보다더 深刻한 분열상을 보이거나 反戰 輿論이 擴散되기를 期待하고 있으며 ②對이라크 經濟 封鎖에 同參하고 있는 多國籍軍 派遣 國家間의 連帶感 弛緩 내지 封鎖 전선을 瓦解 시킴으로써 現在 狀況에서 事態가 固着化 되는것을 最大의 目標로 하고 있음.

나. 美國의 立場

1) <u>一戰不辭 威脅 戰術</u>

美國은 사담후세인으로 하여금 쿠웨이트로 부터 撤收를 履行하지 않으면 武力制裁를 甘受할수 밖에 없다는것을 認識시키는 것이 重要하다고 생각하고 있는것 같음.

그 背景으로는 ①91.1.15. 이라는 時限附 武力使用 最後 통첩과 ②當初 베이커의 바그다드 訪問에 時日을 정하지 않고 있다가 1月初가 아니면 안보내겠다고 하므로써 1.15. 以後 軍事行動 開始 意思를 分明히 함. ③영국, 덴마크등 EC 同盟國들로 하여금 自國民을 撤收케 하므로써 開戰이 臨迫했다는 것을 暗示하고 ④극히 異例的으로 12.21.에는 부쉬 大統領 自身이 同盟國 大使들을 백악관으로

0204

直接 불러 이락에 대한 開戰의 뜻을 분명히 했던점 등이며,
軍事的으로는 ①11.29. 美軍 20만 增派發表와 ②나토 機動
打擊隊의 터키 派遣 ③체니 國防長官과 파월 合參議長의 사우디
訪問等을 통하여 이락에 대한 斷乎한 攻擊 意志를 分明히 전하므로써
所謂 極限 政策을 繼續 追求, 이락에 대한 自進 撤軍 壓力을 加重
하고 있음.

2) 人質 釋放 및 人命 保護

美國은 11.29. 유엔 安保理를 통하여 明年 1.15.을 이락軍 撤收
時限으로 못박음으로써 美國의 極限 政策은 國際的인 承認을 받은
것으로 評價하며, 이러한 强硬 路線이 이락으로 하여금 西方人質의
釋放 決定을 내리게 하는데 一助를 했을 가능성이 있음.
또한 이락에 대한 撤收 時限을 정하므로써 이 期間內에 可能한 많은
西方人이 撤收케 함으로써 戰爭 勃發時의 人命犧牲을 可能한 最小化
하려는 것으로 봄.

3) 部分的 解決 不容

美國은 이락이 쿠웨이트로 부터 完全撤收 하는것 以外에는 아무것도
받아들일수 없다는 確固한 立場을 거듭 分明히 하고 있는바, 이는
①사담후세인에게 美國의 決議에 대한 秋毫의 誤解도 있을수 없도록
하고 ②冷戰後 新秩序 樹立에 있어 힘의 支配가 아닌 法의 支配를
定着시켜야 한다는 부쉬의 意志를 과시하기 위해서도 必要하고
③反이락陣營 結束을 强化하기 위해서도 必要하기 때문인 것으로
보임.

3. 展 望

가. 이락軍의 部分撤收 可能性

1) 美軍等 多國籍軍의 攻擊이 臨迫한 時點에 이르면 이락側이 쿠웨이트로
부터 갑짜기 部分撤收할 可能性도 있는바 그 徵候로는 ①이락側이
루마일라 油田地帶 및 걸프만으로의 進出에 必須的인 부비얀과 와르바
2개 島嶼등 쿠웨이트 北部地域만을 自國의 領土로 編入하기 위해
새로운 境界線을 劃定하는등 部分的 撤軍 움직임을 보이고 있으며
(CIA 보고) ②8년간의 이란, 이락戰에서 입은 損失을 쿠웨이트로
부터 報償 받고자 하는 터에 最小限의 體面을 세우지 않고 撤軍

0205

한다는 것은 사담후세인의 國內政治 立地上 어려운 實情임에 비추어 美國으로서도 이락이 일단 撤軍만 한다면, 쿠웨이트와의 領土 紛爭 問題는 當事國間 解決할 問題로 돌릴 可能性이 있음.

2) 이러한 可能性을 뒷받침할수 있는 것으로서 美國이 베이커 國務長官의 年例 NATO 外務長官 會談 參席 機會等을 活用하여 여사한 部分 撤軍으로는 事態가 解決될수 없다는 점을 對이락 封鎖 戰線 參與國家 등에게 說得은 하고 있으나 實際 이락側이 部分撤軍을 行動으로 옮기는 경우 現在와 같은 强度의 多國的 封鎖 戰線이 維持되기는 어려울 것이라는 점임.

3) 특히 세바르드나제 蘇聯 外務長官의 辭任으로 蘇聯이 지금까지 취해온 共同 步調에서 離脫할 可能性도 排除할수 없으며, 이경우에는 對이락 多國籍 封鎖 路線이 瓦解될 素地가 있음.

4) 걸프事態의 當事者格에 該當하는 아랍권 一刻에서는 여사한 部分的 解決을 今番 事態의 窮極的 解決 方案으로 受諾하려는 움직임을 보이고 있고 이러한 움직임에 대한 國際的 支持가 擴散되는 경우 美側으로서도 部分的 撤收 以前과 같은 정도의 國際的인 支持를 確保하기 어려울 것이므로 아랍권의 解決 方案으로 이 問題를 들고나올때 이를 拒絶하기 어려울 것임.

5) 이 경우 美國內의 反戰 雰圍氣가 보다 더 擴散될 것이며, 이락에 대한 攻擊 名分을 喪失케 되어 議會 및 言論等의 對이락 攻擊 與否 論難이 더욱 紛紛해 질 것임.

6) 따라서 이락側이 電擊的으로 部分 撤軍을 斷行할 경우, 걸프事態는 部分的 解決 狀態의 固着化로 進展될 可能性이 있음.

나. 開戰 可能性

1) 事態의 武力解決 不可避論의 論據는 ①사담 후세인이 그간 취한 態度로 보아 事態를 平和的인 方法으로는 도저히 解決 不可能하며 ②脫冷戰 體制의 新秩序 定立이 必要한 現時點에서 今番事態와 같은 武力에 의한 侵攻 및 不法的인 併合을 容認할 경우, 將來 惹起될 여사한 事態에 대한 國際的 對應이 어려울 것이며 ③이락內 化學武器

0206

施設, 核保有 (可能性)等을 現在 除去하지 않으면 將來 中東域內 勢力 均衡 問題 뿐만 아니라 이스라엘에게도 큰 威脅이 되고 ④그간 派遣한 大規模 美軍을 包含한 多國籍軍과 많은나라에 軍費까지 負擔시킨 狀態에서 유엔의 對이락 武力使用 承認 決議案까지 通過시켜 國際的 支持를 確保해 놓은 時點에서 事態의 部分的 解決을 收容할 名分이 없을 것이라는 점등임.

2) 美國이 戰爭을 開始할 경우 美側은 人命損失을 極小化 하고 이락의 反擊 能力을 制壓하기 위해, 電擊的이고 集中的인 大量 空中 爆擊으로 이락내 化學武器, 軍需施設, 미사일 基地, 核施設, 後方 補給線等을 强打하여 速戰 速決로 이락을 制壓하려 할 것임.

다. 걸프地域 集團安保 體制 構築

이락이 自進 撤收 또는 屈伏에 의한 撤收를 막론하고 어떠한 경우이던 美國은 걸프域內에 集團 安保 體制를 構築하고 美軍을 繼續 駐屯시킬 것이며 對이락 武器禁輸 措置等의 對이락 武力 弱化 措置를 취할 것으로 봄. 美國은 또한 아랍 友邦의 立場을 考慮하여 美國, 아랍 聯合軍의 形態로 美軍의 駐屯을 圖謀할 可能性도 있음.

0207

報 告 畢

1990.12.24.
中 近 東 課

長 官 報 告 事 項

題 目 : 醫療 支援團 派遣 關聯 關係部處 實務 會議

걸프事態 關聯, 多國籍軍 支援 活動의 一環으로 檢討 되어온 醫療 支援團 사우디 派遣 問題 協議를 위한 關係部處 會議 結果를 아래와 같이 報告합니다.

1. 日 時 : 1990.12.24.(月) 12:00-14:30
2. 參席者 :
   가. 靑瓦臺, 外務部, 國防部, 保社部 關係局長 및 課長 13名 參席 (名單 別添)
   나. 主 宰 : 外務部 中東阿局長
3. 會議 結果
   가. 醫療 支援團 派遣
      1) 必要性
         o 美國과의 通商 摩擦 및 我國의 페灣事態 分擔金 支援 實積이 未洽하다는 美側의 關心 表明을 감안하고 國際的인 平和 努力에 積極 參與한다는 뜻에서 可能한限 早速 醫療 支援團 派遣이 要望됨.
         o 특히 그동안 微溫的 態度를 취해온 사우디側이 1.15. 以前 派遣을 希望하는등 我側 提議에 積極的 反應을 보이고 있는 점을 감안함.
      2) 早期 派遣 方案
         o 民間 醫療陣(公衆保健醫 包含) 派遣 問題는 選拔上 隘路, 現行法上 問題 등으로 現實的으로 不可能하다는 結論이었음.

0208

o 美國에 대한 誠意 表示로 國會 同意前 우선 小規模의 民間 醫療陣 派遣 可能性을 檢討하였으나 역시 上記와 같은 이유로 어렵다는 結論이었음.

3) 規 模 :

o 通常 移動外科 病院의 規模인 100名 内外를 考慮하되 사우디側과의 協議 結果에 따라 行政, 警備 兵力을 包含 250名까지 될 수도 있음.

4) 時 期 :

o 選拔 節次, 國會同意 獲得, 豫算問題 등으로 本隊 派遣은 91.1.30. 以後에나 可能할 것이라는 結論임.

5) 國會同意

o 軍 醫療 支援團 派遣은 憲法上 國會 同意를 얻어야 하며 이問題는 國防部와 外務部가 계속 協議하기로 함.

o 91.1.24. 開會되는 臨時國會 同意 要請

6) 所要經費(輸送費, 海外勤務手當等)

o 페灣 支援金에서 使用하는 方案은 當初 美側과의 約束에 비추어 適切치 않다는 結論이었음. (我國 페灣支援 發表時 醫療團 派遣을 追後 別途로 檢討할 것임을 밝힌바 있음)

o 政府 歲出 豫算 豫備費 使用이 不可避하다는 意見임.

7) 軍 醫療陣의 名稱 問題

o 移動外科 病院(MASH)은 性格上 最前方 配置가 不可避할 것이므로 人命被害 可能性과 經費 過多 所要等에 비추어 "醫療支援團 (Medical Support Group)"으로 呼稱키로 合議

나. 弘報 對策

1) 醫療 支援團 派遣을 可及的 빨리 公開하여 對內的으로는 支持 輿論을 造成하고 對外的으로도 美國等 友邦國에 我國의 積極的인 態度를 알리는 效果를 거두도록 함.

2) 國會 同意에 대비 與野 指導者에 事前 非公式 通報가 必要함.

3) 弘報 對策은 青瓦臺 政策調整室에서 總括 調整함.

0209

다. 協商 代表團 派遣 建議

1) 時　期 : 12月末경부터 約 10日間 사우디 派遣

2) 構　成 : 靑瓦臺, 經濟企劃院, 外務部, 國防部, 安企部 實務者로 構成(團長 : 外務部 中東阿局長)

3) 目　的 : 사우디側과 指揮系統, 地位問題, 活動, 配置地域, 裝備, 施設 사용경비 問題等 協議. 끝.

0210

첨 부

회의 참석자 명단

(13명)

1. 청와대 외교안보 보좌관실
   정태익 비서관
   이민재 대령
2. 국방부 기획정책관실 차장
   박용옥 장군
   윤규식 대령
3. 보사부 병원행정과장 정상윤
   지역의료과장 오태규
4. 외무부 중동아국장
   중동아심의관
   중근동과장
   담당서기관
5. 외무부 미주국장
   북미과장
   안보과장

0211

關係部處 對策會議 資料

1990. 12. 28.　14:30

第1綜合廳舍　817號室

外　務　部
中東아프리카局

0212

I. 醫療 支援團 派遣 關聯 關係部處 實務 會議 結果

1. 日　時 : 1990.12.24.(月) 12:00-14:30

2. 參席者 :

青瓦臺, 外務部, 國防部, 保社部 關係局長 및 課長 13名 參席
(外務部 中東阿局長 主宰)

3. 會議 結果

가. 醫療 支援團 派遣

1) 必要性

ㅇ 美國과의 通商 摩擦 및 我國의 페灣事態 分擔金 支援 實積이 未洽하다는 美側의 關心 表明을 감안하고 國際的인 平和 努力에 積極 參與한다는 뜻에서 可能한限 早速 醫療 支援團 派遣이 要望됨.

ㅇ 특히 그동안 微溫的 態度를 취해온 사우디側이 1.15. 以前 派遣을 希望하는등 我側 提議에 積極的 反應을 보이고 있는 점을 감안함.

2) 早期 派遣 方案

ㅇ 民間 醫療陣(公衆保健醫 包含) 派遣 問題는 選拔上 隘路, 現行法上 問題 등으로 現實的으로 不可能하다는 結論이었음.

ㅇ 美國에 대한 誠意 表示로 國會 同意前 우선 小規模의 民間 醫療陣 派遣 可能性을 檢討하였으나 역시 上記와 같은 이유로 어렵다는 結論이었음.

3) 規　模 :

ㅇ 通常 移動外科 病院의 規模인 100名 內外를 考慮하되 사우디側과의 協議 結果에 따라 行政, 警備 兵力을 包含 250名까지 될 수도 있음.

0213

4) 時 期 :

o 選拔 節次, 國會同意 獲得, 豫算問題 등으로 本隊 派遣은 91.1.30. 以後에나 可能할 것이라는 結論임.

5) 國會同意

o 軍 醫療 支援團 派遣은 憲法上 國會 同意를 얻어야 하며 이問題는 國防部와 外務部가 계속 協議하기로 함.

o 91.1.24. 開會되는 臨時國會 同意 要請

6) 所要經費(輸送費, 海外勤務手當等)

o 페灣 支援金에서 使用하는 方案은 當初 美側과의 約束에 비추어 適切치 않다는 結論이었음. (我國 페灣支援 發表時 醫療團 派遣을 追後 別途로 檢討할 것임을 밝힌바 있음)

o 政府 歲出 豫算 豫備費 使用이 不可避하다는 意見임.

7) 軍 醫療陣의 名稱 問題

o 移動外科 病院(MASH)은 性格上 最前方 配置가 不可避할 것이므로 人命被害 可能性과 經費 過多 所要等에 비추어 "醫療支援團 (Medical Support Group)"으로 呼稱키로 合議

나. 弘報 對策

1) 醫療 支援團 派遣을 可及的 빨리 公開하여 對內的으로는 支持 輿論을 造成하고 對外的으로도 美國等 友邦國에 我國의 積極的인 態度를 알리는 效果를 거두도록 함.

2) 國會 同意에 대비 與野 指導者에 事前 非公式 通報가 必要함.

3) 弘報 對策은 青瓦臺 政策調整室에서 總括 調整함.

다. 協商 代表團 派遣 建議

1) 時 期 : 12月末경부터 約 10日間 사우디 派遣

2) 構 成 : 青瓦臺, 經濟企劃院, 外務部, 國防部, 安企部 實務者로 構成 (團長 : 外務部 中東阿局長)

3) 目 的 : 사우디側과 指揮系統, 地位問題, 活動, 配置地域, 裝備, 施設 使用經費 問題等 協議

0214

Ⅱ. 協商 代表團 構成 (11名)

가. 團 長 : 外務部 中東阿局 이해순 局長

나. 團 員 : 青瓦臺 外交安保 이민재 大領

███			
國防部	政策企劃官	유진규	大領
國防部	軍需局	이성우	大領
國防部	醫務管理官室	김준일	大領
國防部	首都統合病院	박동수	大領
國防部	合參軍事協力課	황진하	大領
外務部	中近東課	김동억	書記官
外務部	北美課	홍석규	書記官
經企院	防衛豫算課	김춘선	事務官

Ⅲ. 航 空 日 程

가. 出 發

12.29.(土)	09:40	KE 631	서울 出發
	13:20	"	방콕 到着
	19:55	SV 377	방콕 出發
	23:40	"	리야드 到着
91.1.7.(月)	18:10	SV 264	리야드 出發
	19:10	"	바레인 到着
	21:35	CX 200	바레인 出發
1.8.(火)	09:40	"	홍콩 到着
1.9.(水)	10:00	KE 608	홍콩 出發
나. 歸 國	14:00	"	서울 到着

0215

Ⅳ. 사우디側과 協議 事項

區　　分	사우디側 意見	對應方案
指揮系統	사우디 醫務司	
醫療支援團 地位 問題		
配置地域	東部地域 또는 알바틴	
裝　備		
施設提供(具體事項)		
任務遂行期間		
診療對象		
所要經費	食糧, 燃料, 醫藥品 사우디負擔	
캠프位置		
警戒要員 配置 必要性 與否		
사우디側 警戒 支援 提供 與否		
診療要員 宿所 및 各種 普及 支援		
病院施設에 관한 事項		
弘報對策		

0216

醫療 支援團 派遣 推進 計劃

1990. 12. 29.

外　　務　　部

0217

1. 사우디側과의 協議

가. 美國과의 協議를 거쳐 90.12.3. 我國 醫療支援團의 사우디 派遣에 대한 사우디側 意見을 打診

나. 12.19. 사우디 國防部側은 我國 醫療支援團의 派遣을 歡迎하고 아래의 條件을 提示함.

1) 91.1.15. 以前 派遣 希望
2) 사우디 醫務司令部 指揮 아래 東部 또는 알바틴 地域 配置
3) 食糧, 燃料, 醫藥品, 施設使用料, 警戒는 사우디 負擔
4) 實務協議위한 協商 代表團 사우디 訪問 希望

2. 派遣 準備 事項

가. 사우디側과 醫療支援團의 指揮系統, 地位問題, 活動, 配置地域, 裝備, 施設使用經費 問題等 協議를 위하여 靑瓦臺, 經濟企劃院, 外務部, 國防部, 安企部 實務者로 構成(團長 : 外務部 中東阿局長)되는 協商 代表團을 90.12.29-91.1.9. 사우디 派遣

나. 國防部는 150-200名 規模의 醫療支援團 本隊 派遣을 91.1.30. 以前 可能토록 準備中

다. 國防部는 本隊 派遣 以前 10-20名으로 構成되는 先發隊 派遣 必要에 對備, 先發隊 派遣도 準備中

3. 國內 派兵 同意 節次

가. 軍醫療支援團 派遣은 憲法上 國會 同意를 얻어야 하며 同意 問題는 十字星 部隊 派越時와 같이 國防部가 主務部署가 되고, 外務部는 弘報等 協調토록 함

나. 1月初 次官會議, 國務會議를 거쳐 1.24. 開會되는 臨時國會에 同意 要請

0218

4. 豫算 措置

가. 사우디側은 醫療 支援團의 食糧, 燃料, 醫藥品 施設 使用料等을 負擔 提議

나. 我側은 輸送, 海外手當, 醫療裝備等에 대한 經費가 所要되나 具體的인 豫算 規模는 協商 代表團의 交涉 結果 후에 들어날 것임

다. 所要經費는 時期의 急迫性으로 政府 歲出 豫算 豫備費에서 使用이 不可避 (걸프事態 支援金에서의 支出 方案은 當初 美側과의 約束에 비추어 적절치 않음)

5. 弘報 計劃

가. 國會 野黨 議員이 越南戰의 예를 들어 醫療部隊(非軍事要員) 派遣이 軍事 要員의 派遣으로 連結되었다고 憂慮(與野 共히)를 표하고 있기 때문에 事前에 치밀한 弘報計劃이 必要

나. 1月初 黨政協議會를 거쳐 與野 指導層에 事前 非公式 通報

다. 弘報對策은 靑瓦臺 政策調整室에서 總括 調整토록 建議

라. 對內的으로 支持 輿論을 造成하고 對外的으로 美國等 友邦國에 대한 我國의 積極的인 態度를 알리는 效果를 거두기 위하여 積極的인 弘報 計劃이 必要

6. 對美 通報

가. 美國과의 通商摩擦 및 我國의 걸프事態 分擔金 支援實積이 未洽하다는 美側의 關心 表明을 감안 我側의 醫療 支援團 派遣 努力을 美側에 適切히 通報

나. 外務部 美洲局長, 醫療支援團 派遣 準備 狀況을 駐韓 美國 大使館에 通報

다. 協商 代表團의 歸國後 사우디側과의 協商 結果를 美側에 通報

0219

걸프사태 관련 지원업무 추진현황

1. 지원준비조치

가) 지원계획

단위 : 만불

국 가	현 금	물 자	EDCF	쌀	기 타	합 계
미 국	5,000				3,000	8,000
이 집 트		1,500	1,500			3,000
터 키		500	1,500			2,000
요 르 단		500	1,000			1,500
시 리 아		1,000				1,000
모 로 코		200				200
I O M	50					50
쌀				500		500
행 정 비	50					50
예 비 비	~~700~~	200		500		700
91년도계획	5,000					5,000
	10,800	3,700	4,000	500	3,000	22,000

나) 90년중 집행현황

- 총 $67,972,049 및 ₩47,427,280 집행
- 잔액은 91년도로 이월집행계획

0220

다) 지원준비

ㅇ 90.10.27-11.8 간 유종하 외무차관을 단장으로한 관계부처 조사단, 이집트, 요르단, 시리아, 터키 방문, 아국 지원계획 통보 및 지원 절차교섭

ㅇ 지원자금 860억원(1.2억불) 배정 (12.14)

ㅇ 지원물품 수출대행 업체와 계약 체결 (12.26)

2. 지원업무 추진현황

가) 이집트(3,000만불)

ㅇ 국방부 지원용 물자(700만불)

- 품목선정을 위한 군수조달참모등 4명의 군수전문가단 방한제의 (11.28)
- 이집트측 제의 긍정검토 회보했으나(11.29) 상금 회신 미접수 (12.12.독촉)

ㅇ 민수용 물자(800만불)

- 주민등록전산화 사업비 일부로 전용해 줄것을 거론했으나 아직 정식요청 미접수
- 동 사업 총소요자금 충당계획등 상세 파악 보고토록 지시(12.12)

ㅇ EDCF 자금(1,500만불)

- 이집트측 사업계획서 미접수

나) 터키(2,000만불)

ㅇ 민수용 물자(500만불)

- 터키측, 앰블런스·미니버스·트럭등 23개품목 제시(12.19.접수)
- 아측, 지원가능 품목등 통보하고(12.27) 대행업체와 협의하여 발송 준비중

0221

ㅇ EDCF 자금(1,500만불)

- 터키측, 아국산 상수도용 파이프(Ductile Pipe) 구입에 사용 희망 (12.14)
- 동건 현재 검토중(경협 2과, 재무부)

다) 요르단(1,500만불)

ㅇ 민수용 물자(500만불)

- 설탕, 미니버스, 각종 생필품 총24개 품목등 제시(12.24)
- 현재 조속 지원가능한 품목선정중

ㅇ EDCF 자금(1,000만불)

- 폐수처리공장 사업계획서 제시(12.11)
- 동건 현재 검토중(경협2과, 재무부)

라) 시리아(1,000만불)

- 시리아 국방장관, 전액 미니버스로 지원희망 서신발송(11.21)
- 아측, 외교경로(주일대사관)을 통해 교섭토록 제의 했으나(11.24) 상금 회신 미접수

마) 모로코(200만불)

- 희망품목 7개제시(방독면, 침투보호의, 텐트등)
- 국방부 및 고려무역(주)과 협의하여 발송 준비중

바) 기 타

(1) 미국 (총 8,000만불)

ㅇ 현금지원 : 5,000만불 집행

ㅇ 수송지원 : 1,700만불 집행

ㅇ 잔 액 : 1,300만불 91년 이월

0222

(2) 국제기구 (56만불)

- IOM : 50만불 집행
- UNESCO : 3만불 집행
- ICRC : 3만불 집행

(3) 쌀

- 당초 1,000만불로 예정되었으나 500만불은 예비비로 배정
- 쌀 수출은 FAO 및 농산물 수출국과 협의해야하고 미국측에서 동의하지 않고있어 현재 보류중
- 내년도에 조치계획 검토

(4) 행정비(50만불)

- 정부조사단 중동지역 순방
- 걸프사태 관련 공여국 조정회의 참석
- 중동지역 아국 공관원용 방독면 구입
- 의료지원 조사단 사우디 방문

0223

(별 첨)

걸프사태 관련 지원업무 진행일지

1. 이집트

가) 지원규모 : 일반물자 1,500만불, EDCF 자금 1,500만불

나) 추진현황

10.29. 조사단 방문시 이집트 국방부 12개 희망품목제시(700만불상당)

10.30. 800만불 상당의 물자에 대해서는 희망품목 추후제시 약속

11. 3. 상기 12개품목 상세자료 송부 (가격, 카탈로그)

11.21. 품목선정 및 접수계획 수립 독촉지시

11.28. 이집트측, 품목선정위한 군수조달참모등 4명의 군수전문가단 파한제의(경비는 지원비에서 지출)
외무부측 통보예정품목 및 EDCF 자금 사용계획서는 15개 관계부처 실무회의 검토후 통보예정

11.29. 이집트 군수전문가단 방한 긍정검토 통보
(단순한 지원품목 선정외에 아국산 방산품 홍보기회 감안)

12.11. 이집트 내각사무 및 행정개혁장관의 일반물자 지원비 8백만불의 주민등록전산화 사업에의 전용신청관련, 주 카이로 총영사 수교 문제와 연계추진 건의

12.12. 이집트측 공식입장 조속 파악 및 전산화사업의 총소요 자금계획 등 상세검토 보고토록 지시

12.15 주 카이로 총영사, 주재국 행정능력 미비로 조기집행 불가능 보고
※ 주민등록전산화 사업
- 90.7.21-7.28. 이집트 주민등록청장 방한, 내무부, KOTRA, Dacom 과 협의
- 총 사업비 5,000만불 이상소요
- 90.11.28-12.29간 현황조사차 아국전문가 2명 파견

0224

- 90.12.1-12.8. 체신부, KOTRA, Dacom 관계자 이집트방문
- 이집트 내각사무 및 행정개혁장관, 일반불자 지원비 800만불의 주민등록 전산화 사업에 전용 요청
- 12.11. 주 카이로 총영사, 이집트측 요망사항 동의하여 수교문제와 결부시켜 추진할것 검토중임을 보고
- 12.12. 총소요자금 충당계획등 상세검토사항 보고지시

2. 요르단

가) 지원규모 : 생필품 500만불, EDCF 1,000만불

나) 추진현황

10.31.	조사단 방문시 희망품목 3개 제시 (설탕 1만4천톤, 25인승 미니버스, 강관)
11.11-11.20.	설탕 및 모터싸이클에 대한 문의 및 회신수차 왕복
11.21.	요르단측 요청사항 상세 및 접수계획 보고토록 독촉지시
11.28.	요르단측, 마이크로버스 50대, 나머지 설탕으로 지원제의
11.30.	아측 공급사정 감안, 설탕 1,000톤 (60만불상당), 마이크로버스 (최대 171대)로 조정토록 지시
12.11.	요르단측 입장 조속 회보토록 독촉지시
12.14.	요르단측 희망품목 보고 - 설탕 1천톤 (60만불) - 미니버스 50대 (128만불) - 쌀 (312만불)
12.18.	쌀 대신 타품목 선정지시
12.19.	요르단측, 쌀 대신의 식품류등 품목제시
12.21.	식품류이외 가전제품, 자동차류로 조정지시
12.24.	주 요르단 대사, 아측이 조기지원가능 품목 선정요망
12.29.	요르단측 요망감안, 아측 공급계획 통보예정

0225

3. 터 키

가) 지원규모 : 일반물자 500만불, EDCF 자금 1,500만불

나) 추진현황

11. 6. 조사단 방문시 터키측, 8개 희망품목제시 및 양국 적십자간 협의를 통한 지원방식 제의

11.21. 품목선정 독촉지시

11.26. 품목 최종확정과 접수계획 수립 독촉 및 적십자사 아닌 터키 정부의 물품접수 원칙 통보

12. 1. 터키측, 적십자사와 협의후 결과통보 예정 및 정부대정부간 물품인도방식 동의

12.11. 터키측입장 조속 회보토록 독촉지시

12.22. 터키측 지원희망물자 파편 도착

- EDCF 자금으로 Ductile Pipe 구입희망(주요도시상수도용)

12.24. 터키측 요청고려, 아측 공급 사정 통보

12.24. 주한 터키 대사관, 긴급 지원요망 품목 통보

12.27. 터키측 긴급지원 요망품목 공급사정 문의(혈액냉장고)

4. 시리아

가) 지원규모 : 일반물자 1,000만불

나) 추진현황

11. 4. 조사단 방문시 아측지원 일단 보류입장

11.21. 시리아 국방장관, 버스(600만불)와 마이크로버스(400만불) 지원요청 서한을 주 요르단 대사관으로 발송

11.24. 외교경로를 통해 협의할 것과 가급적 주일 시리아 대사가 방한하여 토의록 작성할 것 제의

0226

11.27. 주 일 대사에 상기건 통보

11.27. 주 이란 시리아 대사, 주 이란 대사 방문하여 지원문제 및 양국수교문제에 대한 의견교환

11.28. 주 이란 대사에 그간 경위 통보 및 시리아 대사 접촉대비 지시

5. 모로코

가) 지원규모 : 일반물자 200만불

나) 추진현황

10.27. 대 모로코 지원계획 통보 및 지원대상 물품리스트 송부

11.27. 모로코측 희망품목 8개 제시 및 가격문의

11.27. 희망품목 가격통보 및 품목 최종선정 독촉지시

12.11. 모로코측 입장 조속 회보토록 독촉지시

12.14. 모로코측 지원 희망품목 접수

- 방독면 150개
- 방독면 정화통 150개
- 침투보호의 156착
- 일반수술기구 10조
- 대형텐트 100개
- 개인텐트 72,200개

12.15. 물품수출 대행업체에 지원준비 지시

12.20. 국방부에 비축물자 구매협조 요청

12.28. 국방부, 비축물자 지원업체로 (주) 대우 선정, 통보

합계 2백만불 상당

0227

6. 국제기구

가) IOM

ㅇ 영사교민국, 50만불 지원(기집행)

나) UNESCO 난민학생 교육비 지원

ㅇ 11.27 UNESCO, 이집트, 요르단 난민취학자녀에 대한 특별교육비 189만불의 일부 지원요망

ㅇ 지원현황

- 국제기구조약국, 걸프만사태 지원금에서 3만불 지원예정

다) 국제적십자사(ICRC) 특별예산사업 지원

ㅇ 국제기구조약국, 걸프사태 지원금에서 3만불 지원예정

0228

외교문서 비밀해제: 걸프 사태 7
걸프 사태 대책 및 조치 2

초판인쇄 2024년 03월 15일
초판발행 2024년 03월 15일

지은이 한국학술정보(주)
펴낸이 채종준
펴낸곳 한국학술정보(주)
주 소 경기도 파주시 회동길 230(문발동)
전 화 031-908-3181(대표)
팩 스 031-908-3189
홈페이지 http://ebook.kstudy.com
E-mail 출판사업부 publish@kstudy.com
등 록 제일산-115호(2000. 6. 19)

ISBN 979-11-6983-967-9 94340
979-11-6983-960-0 94340 (set)

책에 대한 더 나은 생각, 끊임없는 고민, 독자를 생각하는 마음으로 보다 좋은 책을 만들어갑니다.